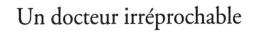

Un docteur irréprochable

Du même auteur

La Faille
Éditions Verticales, 1998

DAMON GALGUT

Un docteur
irréprochable

traduit de l'anglais (Afrique du Sud)
par Hélène Papot

ÉDITIONS DE L'OLIVIER

L'édition originale de cet ouvrage
est parue chez Atlantic Books en 2003,
sous le titre : *The Good Doctor*.

ISBN 2.87929.411.8

© Damon Galgut, 2003.

© Éditions de l'Olivier / Le Seuil
pour l'édition en langue française, 2005.

Note de l'auteur

Les homelands d'Afrique du Sud sont des territoires pauvres et sous-développés que le gouvernement de l'apartheid avait réservés à « l'autodétermination » de ses différentes « nations » noires.

« Des centaines de verstes d'une steppe déserte, monotone, brûlée, ne vous plongent pas dans le même cafard qu'un seul homme qui reste assis à parler, sans qu'on sache quand il s'en ira. »

ANTON TCHEKHOV

1

La première fois que je l'ai vu, j'ai pensé, *il ne tiendra pas*. J'étais assis dans le bureau, en fin d'après-midi, lorsqu'il est soudain apparu dans l'encadrement de la porte, une valise à la main, en vêtements de ville – un jean et une chemise marron – sous sa blouse blanche. Il avait l'air jeune et perdu, et vaguement décontenancé, mais ce n'est pas cela qui m'a amené à penser ainsi. C'était autre chose, que je lisais sur son visage.

Il a dit :

– Bonjour... Je suis bien à l'hôpital ?

Sa voix avait une gravité inattendue dans un corps aussi grand et mince.

– Entrez, dis-je, vous pouvez déposer votre valise.

Il s'avança, sans lâcher son bagage. Il le tenait fermement tandis qu'il examinait les murs roses, les chaises vides, le bureau dans le coin, couvert de poussière, les plantes chétives qui languissaient dans leurs pots. Il pensait qu'il devait y avoir une erreur quelque part, je le voyais bien. J'étais désolé pour lui.

– Je suis Frank Eloff, dis-je.

– Laurence Waters.

– Je sais.

– Vous savez...

Il semblait étonné que son arrivée soit prévue alors qu'il nous avait envoyé des fax pendant des jours et des jours pour annoncer sa venue.

– Nous logeons dans la même chambre, lui dis-je. Venez, je vous emmène.

La chambre se trouvait dans un autre bâtiment. Il fallait traverser un terre-plein attenant au parking. En venant, il avait dû suivre le même chemin mais il regardait l'allée qui se perdait dans les hautes herbes et sous les arbres grêles fatigués par le poids de leurs feuilles comme s'il la voyait pour la première fois.

Nous suivîmes le long couloir menant à la chambre. Jusqu'à aujourd'hui, j'y avais habité et dormi seul. Deux lits, une armoire, un petit tapis, une gravure au mur, un miroir, un sofa vert, une table basse en faux bois, une lampe. Un ameublement standard. Les rares chambres occupées étaient toutes semblables, anonymes comme celles d'un hôtel médiocre. Seule la disposition du mobilier révélait la trace d'une individualité mais je ne m'étais jamais soucié de déplacer le mien avant l'arrivée d'un lit supplémentaire, deux jours plus tôt. Je n'avais rien ajouté non plus. La laideur de cet ameublement austère était dépourvue de personnalité ; dans un décor aussi neutre, un simple tissu serait devenu un signe ostensible.

– Vous pouvez prendre ce lit, dis-je. Il y a de la place dans l'armoire. Là, c'est la porte de la salle de bains.

– Ah, oui. Très bien.

Mais il ne posait toujours pas sa valise.

Je savais seulement depuis deux semaines que j'allais devoir partager la chambre. Le docteur Ngema m'avait convoqué. Je n'étais pas enchanté, je n'avais pas non plus refusé. Dans les jours qui avaient suivi, je m'étais fait, malgré moi, à l'idée de ce partage. Ce ne serait peut-être pas si mal. Il se pourrait qu'on s'entende bien, que ce soit plaisant d'avoir de la compagnie, que ma vie en soit agréablement transformée. Ainsi, d'une certaine manière, j'attendais ce changement avec une curiosité impatiente. Avant son arrivée, je fis deux ou trois choses pour qu'il se sente le bienvenu. J'installai le nouveau lit sous la fenêtre, changeai la literie. Je libérai certaines étagères de l'armoire. Je balayai et nettoyai la pièce, ce qui m'arrivait assez rarement.

Maintenant qu'il était là, je lisais dans ses yeux à quel point cet effort demeurait invisible. La pièce était laide et nue. Et Laurence Waters ne me paraissait pas être la personne que je m'étais figurée. Je ne sais pas au juste qui j'avais imaginé mais ce n'était pas ce jeune homme falot, presque encore un garçon, au teint légèrement hâlé, qui posait enfin sa valise.

Il retira ses lunettes et les frotta sur sa manche. Puis il les remit et dit d'un ton las :

— Je ne comprends pas.

— Quoi ?

— Cet endroit.

— L'hôpital ?

— Pas seulement l'hôpital. Je veux dire…

D'un geste de la main, il désigna le monde, l'extérieur. Il voulait parler de la ville, au-delà des murs de l'hôpital.

— Vous avez demandé à venir ici.

— Je ne savais pas que ce serait ça. Pourquoi ? dit-il avec une soudaine intensité. Je ne comprends pas.

— On en parlera plus tard. Je suis de garde, je dois retourner au bureau.

— Il faut que je voie le docteur Ngema, dit-il brusquement. Elle m'attend.

— Ne vous inquiétez pas. Vous la verrez demain matin. Il n'y a pas d'urgence.

— Je suis censé faire quoi, maintenant ?

— Ce que vous voulez. Installez-vous, rangez vos affaires. Ou venez vous asseoir avec moi. J'en ai encore pour deux heures.

Je m'en allai, le laissant seul. Il était perturbé et abattu. Je le comprenais ; j'avais ressenti la même chose à mon arrivée.

Vous vous étiez préparé à une chose et ce qui vous attendait était totalement différent. Vous pensiez trouver un hôpital moderne en pleine activité – rural, certes, et petit, mais très animé – dans une ville bien vivante. C'était la capitale de ce qui avait été un des homelands et donc, quelle qu'ait été la moralité de la politique ayant présidé à sa mise en place, vous vous attendiez à un lieu plein de mouvement et de vie administrative, de gens qui vont et viennent. Lorsque vous aviez quitté la grand-route en direction de la frontière, pour suivre la route secondaire qui mène ici, cela ressemblait encore – vu de loin – à ce que vous escomptiez. Il y avait la rue principale menant vers le centre, où se dressaient la fontaine et la statue, puis les vitrines, les trottoirs et les réverbères et, au-delà, les immeubles. L'ensemble paraissait soigné, calibré, précis. Un endroit plutôt agréable.

Et une fois arrivé, vous avez vu. Le premier indice a peut-être été un détail troublant, une fissure en travers d'un mur pourtant récent ou une série de fenêtres cassées dans un bureau que vous longiez. Ou le fait que la fontaine soit asséchée et le fond de son bassin rempli de vieux sable. Alors, vous avez ralenti et regardé autour de vous, vaguement inquiet, et soudain tout vous est apparu clairement. Les mauvaises herbes dans les jointures entre les trottoirs et les murs de briques, la végétation par endroits sur la rue, les lampes grillées et les devantures aveugles des boutiques vides, la peinture écaillée, rongée par l'humidité et les moisissures, les traces laissées par la pluie sur la moindre surface et le lent écroulement des structures solides, parfois grain à grain et parfois par pans entiers. Vous doutiez de l'endroit où vous étiez.

Et il n'y avait personne. Vous le remarquiez en dernier tout en vous rendant compte que c'était pourtant cela qui donnait d'emblée cette déplaisante sensation de vide : l'endroit était désert. Il y avait bien une voiture descendant lentement une petite rue, un ou deux uniformes en train d'arpenter le trottoir, peut-être même une silhouette avançant péniblement sur un chemin au milieu d'un terrain envahi d'herbes folles, mais dans l'ensemble le lieu était vide. Inhabité. Aucun chaos humain, aucun mouvement.

Une ville fantôme.

– On dirait qu'il s'est passé quelque chose de terrible, ici, a dit Laurence. C'est l'impression que ça donne.

– *Ja*, mais le contraire est aussi vrai. Il ne s'est jamais rien passé, ici. Et rien ne se passera. C'est le problème.

– Mais alors, comment… ?

– Comment quoi ?

– Rien. Simplement comment.

Il voulait dire, *comment se fait-il qu'il y ait ça ici ?* Et c'était la vraie question. Cette ville n'avait pas poussé naturellement, pour des raisons humaines normales – une rivière dans une région sèche, la découverte d'un gisement d'or, ou encore un événement historique. Elle avait été conçue et dessinée sur du papier, dans une métropole lointaine, par des bureaucrates néfastes qui n'étaient probablement jamais venus jusqu'ici. Ils ont dit, ça, c'est notre homeland, et ils ont tracé un trait sur une carte, et maintenant où va-t-on mettre la capitale ? Pourquoi pas là, au milieu ? Ils ont fait un X avec un stylo rouge et se sont sentis très satisfaits d'eux-mêmes puis ils ont demandé aux architectes d'État de dessiner les plans.

Ainsi, la perplexité de Laurence n'avait rien d'exceptionnel. J'avais connu ça, moi aussi. Et je savais que ce sentiment se dissiperait, à la longue. D'ici une semaine ou deux, la perplexité laisserait la place à autre chose : de la frustration, peut-être, ou du ressentiment, de la colère. Pour se transformer en résignation. Au bout de quelques mois, Laurence accepterait d'être condamné à rester ici, comme nous tous, ou alors il échafauderait un moyen d'en sortir.

– Mais où sont-ils, tous ? dit-il, s'adressant plus au plafond qu'à moi.

– Qui ?

– Les gens.

– Là-bas, dis-je. Là où ils vivent.

C'était des heures plus tard, dans ma chambre – notre chambre – cette nuit-là. Je venais d'éteindre la lumière et j'étais allongé, essayant de dormir, quand sa voix perça l'obscurité.

— Mais pourquoi est-ce qu'ils vivent là-bas ? Pourquoi pas ici ?

— Qu'est-ce qu'il y a pour eux, ici ? dis-je.

— Tout. J'ai vu la région, en arrivant en voiture. Il n'y a rien. Pas d'hôtels, de magasins, de restaurants, de cinémas… Rien.

— Ils n'ont pas besoin de tout ça.

— Et l'hôpital ? Ils n'en ont pas besoin ?

Je me redressai sur un coude. Il fumait et je voyais l'extrémité incandescente de sa cigarette s'élever dans l'air et redescendre. Il était couché sur le dos, les yeux grands ouverts.

— Laurence, dis-je, tu dois comprendre une chose. Ceci n'est pas un véritable hôpital. C'est une blague. Tu te rappelles la dernière ville que tu as traversée en venant, à une heure d'ici ? C'est là que se trouve le véritable hôpital. Ils vont là, quand ils sont malades. Les gens ne viennent pas ici. Il n'y a rien, ici. Tu es au mauvais endroit.

— Je ne le crois pas.

— Tu ferais bien de le croire.

La braise rougeoyante resta un moment en suspens avant de s'élever et de redescendre à nouveau, encore et encore.

— Mais les blessés, les gens malades. Ils n'ont pas besoin d'aide ?

— Tu penses que cet endroit représente quoi, pour eux ? L'armée est arrivée par ici. C'est ici que vivait leur dictateur fantoche. Ils détestent cet endroit.

— Tu parles de politique, dit-il. C'est du passé. Ça n'a plus d'importance, maintenant.

— Le passé vient à peine d'arriver. Ce n'est pas encore du passé.

– Ça m'est égal. Je suis médecin, moi.

Je me rallongeai et l'observai pendant un moment. Après quelques minutes, il écrasa sa cigarette sur le rebord de la fenêtre et lança le mégot dehors. Il prononça encore un ou deux mots que je ne réussis pas à entendre, fit un geste de la main et poussa un soupir avant de s'endormir. Presque instantanément. Son corps se relâcha, j'entendais le son régulier de sa respiration.

Je ne parvenais pas à dormir. Cela faisait des années que je n'avais pas passé la nuit dans une chambre avec quelqu'un d'autre. Et je me suis alors souvenu – de façon presque incongrue car il ne représentait rien pour moi – combien, autrefois, l'idée que quelqu'un dorme près de moi dans le noir me rassurait et me réconfortait. Je ne pouvais rien imaginer de meilleur. Et maintenant, la respiration de cet autre corps me rendait nerveux et vigilant, me fâchait presque, ce qui fait qu'il me fallut des heures avant que mes yeux se ferment de fatigue.

2

Depuis pas mal de temps déjà, nous étions sept : Tehogo et le personnel de cuisine, le docteur Ngema, les Santander et moi. Les choses avaient été différentes, par le passé. Lorsque j'étais arrivé, il y avait une Indienne, médecin, mais elle était partie depuis longtemps, et un Blanc du Cap qui s'était ensuite marié et avait émigré. Il y avait aussi quatre ou cinq infirmières, toutes transférées ailleurs à cause des réductions d'effectifs, à l'exception de Tehogo. Nous étions trop nombreux pour répondre à des besoins humains infimes. Ceux qui partaient n'étaient jamais remplacés et un rempart se dressait immédiatement pour boucher, occulter le vide qu'ils laissaient derrière eux, comme une forteresse refuse l'effondrement final.

L'arrivée de Laurence constituait donc un événement mystérieux. Cela n'avait aucun sens. Quand le docteur Ngema m'avait annoncé qu'un jeune médecin venait faire un an de service social, j'avais d'abord cru qu'elle plaisantait. J'avais entendu parler du service social – un nouveau programme du gouvernement destiné à accroître le personnel et les capacités de l'ensemble des hôpitaux du pays. Nous pensions être trop isolés pour être concernés.

– Pourquoi ? dis-je. Nous n'avons besoin de personne.

— Je sais, dit-elle. Je n'ai rien sollicité. Il a demandé à venir ici.

— Il a demandé ? Pourquoi ?

— Je ne sais pas.

Elle considérait avec perplexité un fax qu'elle avait reçu.

— Nous n'avons pas le choix, Frank. Il faut lui trouver une place.

— Bon, d'accord, dis-je en haussant les épaules. Ça ne me concerne pas.

Le docteur Ngema leva les yeux et soupira.

— Je crains que si. Je vais devoir le mettre avec vous, dans votre chambre.

— Hein ?

C'était la première fois qu'une chose pareille se produisait. Elle voyait la consternation sur mon visage.

— Ça ne durera pas très longtemps. Quand les Santander partiront, je le mettrai chez eux.

— Voyons… nous avons un couloir plein de pièces inoccupées. Pourquoi ne pas l'installer dans une de ces chambres ?

— Il n'y a pas de meubles, dans ces chambres. Tout ce que je peux fournir, c'est un lit. Mais la table, les chaises… ? Il faudra bien qu'il s'asseye quelque part. Je vous en prie, Frank. Je sais que c'est difficile. Mais il faut savoir faire des concessions.

— Et pourquoi moi ?

— Qui d'autre, Frank ?

C'était plus qu'une simple question. Il y avait une autre chambre, au fond du couloir, objet de litige.

— Tehogo, dis-je.

— Frank, vous savez bien que c'est impossible.

— Pourquoi ?

Gênée, elle changea de position sur sa chaise, et sa voix monta d'un ton, en signe de désapprobation.

— Frank. Frank. Qu'est-ce que je peux faire ? Je vous en prie. Je vous promets d'arranger ça. Mais je ne peux pas le renvoyer.

— Vous ne devez pas le renvoyer. Pourquoi est-ce qu'ils ne partageraient pas une chambre ?

— Parce que... Tehogo n'est pas médecin. Vous êtes médecin, c'est logique, pour deux médecins, d'être dans la même chambre.

Derrière ces mots, il y en avait d'autres, qui ne se disaient pas. Le fait que Laurence et moi soyons médecins n'expliquait pas tout ; parce que nous étions tous les deux des Blancs, nous étions à notre place dans une même chambre.

Le lendemain, lorsque la sonnerie du réveil m'a tiré du sommeil, il était déjà levé et habillé, assis sur le bord de son lit en train de fumer.

— Je veux rencontrer le docteur Ngema, dit-il immédiatement.

— Bien sûr. Mais il va falloir attendre un moment.

— Je peux aller la voir dans son bureau. Ce n'est pas la peine de m'accompagner. J'irai seul.

— Il est six heures du matin, elle n'est pas encore là. Calmetoi, voyons, un peu de patience. Prends une douche, si tu veux.

— Je viens d'en prendre une.

En entrant dans la salle de bains, je trouvai le sol trempé et sa serviette mouillée abandonnée par terre. Il y avait des poils et un reste de mousse à raser dans le lavabo. Mon humeur se détériorait à mesure que je nettoyais les traces de son passage et elle se détériora encore plus lorsque je rentrai dans la chambre et dans le brouillard bleu de sa fumée de cigarette. Il faisait les cent pas en tirant de longues bouffées, perdu dans ses pensées. Je toussai et il écrasa le mégot sur le rebord de la fenêtre, le même geste que la veille, avant de le lancer dehors.

— Tu ne peux pas continuer à faire ça. Tu laisses des traces de brûlé partout.

— Il n'y a pas de cendrier. J'ai cherché.

— Je ne fume pas. Tu devras en acheter un.

— C'est une mauvaise habitude, il faut que j'arrête, je sais.

Il jetait des regards fébriles autour de lui, puis se laissa tomber sur le lit.

— Tu es prêt ?

— Je dois m'habiller, Laurence. Pourquoi tu t'impatientes tellement ? Rien ne presse.

— Vraiment ?

Je m'habillai lentement, en l'observant. Son attention se posait à chaque instant sur moi pour s'échapper aussitôt vers quelque détail arbitraire, parfois vers l'extérieur, par la fenêtre. Il semblait à la fois tendu et distrait sans raison apparente. Une disposition que j'allais apprendre à connaître chez lui mais qui était étrange et dérangeante en ce premier jour.

Je fus enfin prêt.

— Eh bien, dis-je, allons-y. Laurence… ta blouse blanche. On ne porte pas vraiment ça, ici.

Après une seconde d'hésitation, il ne la retira pas. Je fermai la porte et nous longeâmes l'allée sous les feuillages pesants tandis que la lumière alentour devenait de plus en plus vive. Je le sentais attiré par le bâtiment central, celui du bureau et de l'administration, mais je l'entraînai dans une allée latérale vers la salle du petit déjeuner. Le réfectoire était situé dans le troisième bâtiment de l'hôpital, avec la cuisine, les logements des cuisiniers et du personnel de nettoyage, des endroits pratiquement abandonnés. C'était un long hall dont une moitié servait de salle de loisirs, l'autre étant occupée par une grande table rectangulaire couverte d'une nappe crasseuse.

Je présentai Laurence aux Santander, Jorge et Claudia ; ils le dévisagèrent avec stupeur.

– Vous êtes… nouveau ? demanda Jorge.

– Oui, en service social. Pour un an.

– Excusez-moi, dit Claudia, quel service ?

– C'est un programme du gouvernement, dis-je. Tous les nouveaux médecins doivent le faire. Après le diplôme.

– Ah bon.

Ils le regardaient, toujours aussi déconcertés. Ils avaient vu quelques personnes quitter cet endroit mais il était le premier qu'ils voyaient arriver.

Il y eut un silence. Le malaise qui accompagnait toujours mes rencontres avec les Santander était amplifié par la présence de Laurence qui expédiait son petit déjeuner sans vraiment manger, poussant son toast d'un bord à l'autre de son assiette. Il fit quelques tentatives sans suite pour engager la conversation et plus personne ne parla ; seuls subsistèrent le frottement métallique des cuillères contre les assiettes et des rires derrière la porte de la cuisine jusqu'à ce que les Santander prennent congé en s'excusant.

Nous restâmes là, lui et moi, à regarder fixement l'autre moitié de la pièce encombrée d'une table de ping-pong, d'un téléviseur noir et blanc, de vieux magazines et de boîtes de jeux de société.

Je crois qu'il avait commencé à entrevoir quel genre d'endroit c'était. Il ne restait rien de la frénésie maniaque du lever. Il termina son petit déjeuner et alluma une cigarette sur laquelle il tirait à peine, le regard perdu au loin tandis que la fumée lui glissait entre les doigts.

Plus tard, nous rejoignîmes ensemble le bâtiment principal. Le bureau était vide bien que Claudia Santander fût officiellement toujours de garde et Tehogo censé être dans les parages. Nous attendîmes l'arrivée du docteur Ngema assis en silence, en buvant du café. Des années de ma vie s'étaient écoulées dans cette pièce, en petites gorgées chargées de l'amertume de la caféine. Au mur, les aiguilles d'une pendule arrêtée et muette indiquaient à jamais dix heures moins trois. Le seul changement intervenu depuis mon arrivée avait été l'installation d'une cible de fléchettes au dos de la porte. Je l'avais rapportée de la salle de loisirs un dimanche, dans l'espoir de passer le temps. Mais à force de lancer des fléchettes, l'idée d'atteindre une cible, un but, commence à perdre de son sens.

Le docteur Ngema arriva à neuf heures précises. Elle venait faire la tournée des salles. Une visite de routine qu'elle maintenait même les jours – à vrai dire les plus nombreux – où aucun patient ne séjournait à l'hôpital. Il y avait toujours l'une ou l'autre question à débattre, même minime et sans fondement, un point de procédure ou de protocole. Il se faisait qu'aujourd'hui nous avions deux patients hospitalisés.

Elle s'immobilisa sur le pas de la porte et ses yeux s'attardèrent sur l'éclat insolite de la blouse blanche de Laurence. Il s'était levé et lui tendait la main en souriant.

– Je suis Laurence Waters, dit-il.

Elle lui serra la main avec un certain embarras.

– Oh oui, dit-elle, bien. Quand êtes-vous arrivé ?

– Hier soir. Tard. J'ai voulu venir vous trouver mais Frank m'a dit…

– J'ai pensé qu'il était trop tard, dis-je. Je lui ai conseillé d'attendre ce matin.

– Oui, fit le docteur Ngema. Oui.

Elle hocha vigoureusement la tête. La conversation retomba. Laurence était là, avec un large sourire plein d'espoir, les yeux brillants et, à l'évidence, il se disait qu'enfin quelque chose allait advenir. Tout le reste – son arrivée, l'attente, notre conversation – n'était qu'une introduction. Maintenant, il rencontrait le chef, et il se verrait gratifié d'une vie de devoirs, riche de sens.

Le docteur Ngema regardait autour d'elle, l'air contrarié.

– Où est Tehogo ? demanda-t-elle.

– Je ne sais pas. Il n'est pas encore arrivé.

– Ah bon. Eh bien… Nous y allons ?

Je marchais à côté d'elle, Laurence nous suivait. Dans tout ce vide, nos pas résonnaient d'un écho considérable. Les deux patients étaient dans la même salle, la seule véritablement en service. Deux portes après le bureau. Il fallait passer devant une première salle sur la gauche, celle de la consultation de chirurgie, où s'effectuaient les examens et les opérations diverses. Elle était fermée. Sur la droite, la seconde porte était celle de la salle d'hospitalisation. Elle ressemblait à une chambre normale, dans un hôpital normal. Deux rangées de lits, des rideaux, une vague clarté fluorescente.

Nous nous rassemblâmes autour du lit du premier malade, un jeune homme d'une vingtaine d'années arrivé illégalement dans le pays, à pied. La proximité de la frontière faisait que nous étions souvent confrontés à des cas semblables : des gens ayant parcouru de longues distances, sans argent ni nourriture. Franchir la frontière présentait un danger. Le jeune homme avait réussi, mais il souffrait de brûlures dues au soleil, de déshydratation, et ses pieds étaient en sang. Il était sous perfusion, son état semblait s'améliorer rapidement. Pour toute communication, il nous lançait des regards effrayés.

— La pression artérielle est de 130 sur 80. Quand est-ce que Tehogo a fait cette courbe de température ?

— Je n'en sais rien.

— Il doit inscrire l'heure et la date. Que ce soit lisible. Vous voudrez bien lui dire, Frank ? La température reste trop élevée. Mais il urine à nouveau. Qu'en pensez-vous ?

— On pourrait passer à une alimentation solide, demain.

— Je crois aussi. Vous en parlerez également à Tehogo ?

— D'accord.

— Quand croyez-vous qu'il pourra sortir ?

— Il se rétablit vite, dis-je. Après-demain.

Le docteur Ngema acquiesça. Nous n'étions pas amis ; elle n'avait aucun ami ; pourtant, elle mettait toujours un point d'honneur à me demander mon avis. Nous avions ce qu'il est convenu d'appeler « de bonnes relations de travail ».

Nous étions passés à l'autre patient, une femme amenée par son mari quelques jours auparavant, en proie à de violentes douleurs. L'appendice était sur le point d'éclater, le docteur Ngema avait dû l'opérer immédiatement. Les crises d'appendicite, voilà le type d'urgence que nous aimions : facile à diagnostiquer et à traiter, à la hauteur de nos moyens.

L'essentiel de la chirurgie était effectué par le docteur Ngema, qui n'avait pourtant pas la main très sûre ni, selon moi, une vue très fiable. Pour des raisons personnelles, j'aurais aimé exercer mes talents de chirurgien, mais je n'étais autorisé à effectuer qu'occasionnellement des interventions mineures. J'en concevais une certaine rancœur que je ne pouvais toutefois pas me permettre de montrer. Au fil des années, j'avais dû digérer bien des frustrations.

Ce matin, par exemple. Très vite, il m'était apparu que tout n'allait pas pour le mieux chez cette patiente – elle était faible et un examen rapide révéla un ballonnement de l'abdomen –, cependant ce n'était ni l'heure ni le lieu pour parler trop ouvertement. Le docteur Ngema était sensible aux critiques, mais il n'y avait pas que cela. Si les choses tournaient mal, il faudrait envoyer la patiente vers ce grand hôpital, celui de la ville la plus proche, à une heure d'ici, mieux équipé en personnel et en matériel. Dans les cas extrêmes, si nous ne pouvions plus rien faire, nous étions obligés de transférer les malades mais c'était toujours en dernier ressort car chacun de nos échecs rendait nos maigres crédits plus difficiles à justifier.

– On va la surveiller, dis-je. On peut la placer en observation.

Le docteur Ngema hocha la tête.

– Très bien.

– Ça suppure, dit Laurence.

Nous le regardâmes tous les deux.

– La cicatrice suppure, dit-il. Regardez. Ballonnement de l'abdomen. Douleur à la pression. Vous ne pouvez pas la laisser comme ça trop longtemps.

Le silence qui suivit était chargé du souffle rauque de la femme dans le lit.

– Laurence, dis-je.

J'avais pris un ton tranchant, pour le remettre à sa place, et pourtant rien ne venait, au-delà de son prénom. Il avait raison ; nous le savions l'un et l'autre ; le simple énoncé de cette évidence suffisait à nous couvrir de honte.

– Oui, dit le docteur Ngema. Oui. Je crois que tout le monde l'a vu.

– Que voulez-vous que je fasse ? demandai-je rapidement.

– Vous allez l'emmener, ce matin. J'assurerai la garde à votre place, Frank, pendant votre absence. Il vaut mieux que nous... oui. Très bien. Faisons ainsi.

Elle parlait d'un ton calme, avisé, alors que le moment était pénible. Lorsqu'elle fit brusquement demi-tour pour regagner le bureau, je restai en arrière de quelques pas au lieu de reprendre ma place habituelle près d'elle. Laurence bondit à ses côtés.

– Docteur Ngema, dit-il. Est-ce que je pourrais vous parler une minute ? J'aimerais savoir ce qu'on attend de moi.

– Que voulez-vous dire ?

– Quelle sera ma fonction ? dit-il plein d'entrain. J'ai hâte de m'y mettre, vous savez.

Elle ne répondit pas immédiatement et, arrivée à la porte du bureau, elle se tourna vers lui.

– Vous accompagnerez Frank, dit-elle. Cela pourrait vous être profitable.

– Très bien.

– Oui, dit-elle. Frank a une grande expérience de médecin. On apprend beaucoup auprès des gens... qui ont de l'expérience.

Jamais je ne l'avais vue aussi cassante, pourtant lui semblait indifférent. Il me suivit comme un petit chien dans le bureau où Tehogo était assis à la table, fixant les veines du bois, l'air sombre.

– J'emmène la patiente opérée de l'appendicite à l'autre hôpital, dis-je. Tu dois inscrire les heures sur les courbes de température, Tehogo. L'autre, le jeune homme, passe à une alimentation solide à partir de demain.

– Oui, dit Tehogo sans lever les yeux.

En le disant, il semblait accorder une autorisation. Si rien n'altérait sa mine austère, pas même la surprise, il fut toutefois quelque peu interloqué de voir mon nouveau compagnon de chambre s'élancer vers lui, la main tendue.

– Bonjour, dit-il. Je suis content de faire votre connaissance. Je m'appelle Laurence Waters.

Je m'absorbai dans diverses tâches quotidiennes et lorsque nous nous mîmes en route, la matinée était déjà bien avancée. L'hôpital disposait d'une ambulance antique dont le chauffeur officiel était parti depuis longtemps ; quand l'ambulance sortait, il fallait qu'un des médecins la conduise. Nous installâmes la femme sur un brancard, à l'arrière, et je pris le volant. Je m'attendais à ce que Laurence s'asseye à l'avant, près de moi, or il monta à l'arrière, avec la patiente, et se tint penché sur elle, vigilant à l'extrême, dans l'attitude de la chouette guettant sa proie.

— Laisse-la respirer, dis-je. Tu vas la rendre claustrophobe.

— Pardon. Pardon.

Il recula, l'air confus, et j'étudiai son large visage dans le rétroviseur. Il semblait perpétuellement contrarié, comme si une sempiternelle question n'en finissait pas de le tarabuster.

Je fis chauffer le moteur et démarrai en direction de la rue, sans plus lui adresser la parole. La ville défilait lentement, impressionnante d'espace et de vide. Nous arrivâmes sur la route secondaire qui menait à la route principale et la végétation dense du bush se pressait autour de nous. Dans les vibrations de l'air chaud, les feuillages formaient un mur continu, impénétrable. La route serpentait entre des crêtes rocheuses et des collines. Une nature à la fois riche et torride où le brun des hautes herbes sèches s'opposait au vert éclatant du bush des vallées humides.

La première fois que j'étais venu ici, j'avais aimé ce paysage, sa fertilité et sa fécondité, la vie qui s'en dégageait. La terre n'était jamais à nu. Elle était ensevelie sous des tiges bourgeonnantes, des ronces et des feuilles ; des petits sentiers tracés par des animaux ou des insectes s'entrecroisaient sur le sol. Les odeurs et les couleurs étaient puissantes. Je consacrais tout mon temps libre, des heures et des heures, à arpenter le bush. Je voulais aller au plus près du cœur luxuriant des choses. Avec le temps, ce qui m'avait attiré de façon tellement irrésistible avait fini par révéler sa face cachée. La chaleur et la vitalité devinrent oppressantes, presque menaçantes. Rien ne durait, rien ne demeurait intact. Le métal se corrodait et rouillait ; les étoffes moisissaient ; l'éclat des peintures fanait. Vous ne pouviez pas débroussailler un espace dans la forêt et espérer le retrouver deux semaines plus tard.

De part et d'autre de la route principale, le paysage autour de nous changeait : le bush était moins dense, la présence humaine plus marquée. Des villages apparaissaient de chaque côté – des assemblages de huttes coiffées d'un toit conique en paille et ornées de dessins colorés. Un sol tassé et aplati par les pas. Des yeux d'enfants, d'hommes harassés et de vieillards désœuvrés suivaient notre passage. Des femmes se redressaient dans des champs de légumes clairsemés, la houe à la main.

Au bout d'une demi-heure, nous atteignîmes le bas de l'escarpement, là où la route bifurquait pour monter. Cet endroit marquait la limite entre ce qui avait été le homeland et le début d'une industrie viable : la terre était obscurcie par des rangées de pins. Depuis le sommet, on avait un bref aperçu de la plaine que nous avions laissée derrière nous, une étendue onduleuse de bronze rouillé avant le début des prairies.

La ville où nous nous rendions, avec son hôpital prospère, n'était plus très loin de l'autre versant de l'escarpement : un embranchement, une petite route latérale et nous y étions. Même dans la chaleur de midi, lorsque les rues environnantes somnolaient, écrasées de soleil, il régnait une douce effervescence aux abords de l'hôpital – un va-et-vient de gens et de voitures. J'amenai la patiente aux urgences, bien que son cas ne fût pas à proprement parler urgent. Il y avait là un médecin auquel j'avais souvent eu affaire, un jeune homme suffisant, guère plus âgé que Laurence, nommé du Toit. Il était de service aujourd'hui ; nous

nous étions parlé au téléphone, tout à l'heure. Il avait préparé tous les formulaires à signer et vint à ma rencontre avec un sourire insolent.

— Encore à nous de jouer, dit-il. Qu'est-ce qui se passe, vous n'avez pas réussi à la tuer du premier coup ?

— Je préfère vous laisser faire.

— Dès que vous voulez vraiment bosser, n'hésitez pas. Vous allez continuer longtemps à vous terrer dans ce trou ?

— Le temps qu'il faudra, dis-je tandis que j'apposais pour la centième fois ma signature au bas du même formulaire officiel en suivant des yeux la patiente que l'on emmenait sur un brancard.

Chaque arrivage de malade donnait lieu à des variantes de ce sombre échange de plaisanteries entre du Toit et moi.

Il regarda Laurence avec intérêt.

— Vous êtes nouveau, dit-il. Je croyais qu'ils se débarrassaient des gens, là-bas, pas qu'ils en engageaient.

— Je fais mon service social, dit Laurence. Pendant un an.

Du Toit se mit à rire.

— Pas de bol. Vous avez tiré le mauvais numéro, hein ?

— Non, pas du tout. Je tenais à venir.

— Oui, bien sûr. Vous en faites pas, ce sera vite passé.

Il donna une tape sur l'épaule de Laurence et me dit :

— Vous déjeunez ici ?

— Merci, on doit rentrer. Je suis de garde. La prochaine fois.

Dehors, Laurence dit :

— Je ne l'aime pas.

— Il n'est pas méchant.

— C'est un enfant gâté. Imbu de lui-même. Ce n'est pas un vrai docteur, ça se voit.

Peu avant le sommet de l'escarpement, je m'arrêtai devant un restaurant que je connaissais, en bord de route.

— Qu'est-ce qui se passe ? demanda Laurence.

— Je vais déjeuner. Tu n'as pas faim ?

— Je croyais qu'on était de garde. Tu vois, dit-il d'un air entendu, tu ne voulais pas déjeuner avec ce type. Toi non plus, tu ne l'aimes pas.

Nous nous assîmes à une table et mangeâmes en observant les allées et venues des autres clients. Sur cette route passaient essentiellement des camions qui se rendaient à la frontière ou en revenaient, et souvent les chauffeurs s'arrêtaient là pour boire et manger. J'aimais l'allure de ces hommes. Ils n'avaient rien de cette introspection tourmentée qui émane des médecins. Leur vie s'étirait au fil des routes interminables.

— Alors c'est ça, fit brusquement Laurence. L'autre hôpital. Celui où tout le monde va.

J'acquiesçai avec résignation.

— C'est ça.

— C'est là que vont tous les crédits, le matériel, le personnel, tout ça ?

— Exact.

— Mais pourquoi ?

— Pourquoi ? Les hasards de l'Histoire. Une ligne sur une carte, il y a quelques années, pas très loin de là où nous sommes maintenant assis. D'un côté, le homeland, où tout n'était qu'imitation, pour la forme. De l'autre côté, le rêve blanc où tout l'argent…

— Oui, oui, je comprends, dit-il avec impatience. Mais la ligne sur la carte a disparu, maintenant. Alors pourquoi est-ce que nous ne sommes pas comme eux ?

Je haussai les épaules.

— Je n'en sais rien, Laurence. Il n'y a pas assez d'argent pour tout le monde. Ils établissent des priorités.

— Eux, ils sont la priorité des priorités, et nous, on n'est rien.

— C'est un peu ça. Ils aimeraient bien qu'on ferme.

— Mais. Enfin.

Son front se creusait d'un pli courroucé.

— Tout ça, c'est encore de la politique, n'est-ce pas ?

— Tout est politique, Laurence. Dès que tu mets deux personnes dans une même pièce, la politique entre en jeu. C'est comme ça.

Cette pensée parut le calmer ; il ne dit plus rien jusqu'à notre départ. Soudain, il annonça son intention de conduire.

— Comment ?

— J'ai envie. Allez, Frank, laisse-moi le volant. Je voudrais voir l'effet que ça fait.

Je lui lançai les clés. Avant même que nous soyons sortis du parking, j'avais senti à quel point c'était un conducteur prudent ; calme et maître de lui, à l'opposé de sa façon fébrile de parler et de se comporter. C'était là une des contradictions de Laurence, des petites failles et des lacunes qui ne collaient pas avec l'ensemble.

Nous étions maintenant au milieu de l'après-midi. Le bas de l'escarpement était plongé dans l'ombre ; lorsque nous retrouvâmes le soleil, les ombres étroites s'allongeaient sur le sol. La route fonçait en flèche vers l'horizon et la frontière. Au bout d'une vingtaine de minutes je lui dis :

– Arrête-toi.

Une impulsion venue apparemment de nulle part et dont je me rendais maintenant compte qu'elle montait en moi depuis le début de cette journée. Peut-être même avant.

– Hein ?

– Là-bas, près des arbres.

Au bord de la route se dressait un bosquet d'eucalyptus bleus derrière lequel se trouvait une baraque en bois, un peu en retrait. Encore au-delà, on distinguait les toits d'un village depuis une petite butte de terre.

– Pour quoi faire ?

– Allons jeter un coup d'œil.

Puis il vit la pancarte qu'il lut à voix haute : « Souvenirs et objets artisanaux. »

– On va voir ce qu'ils ont.

Une voiture était garée devant la porte. Un couple d'Américains sortit avec deux girafes en bois sculpté, en s'appliquant lourdement à être gentils. Derrière eux, la jeune femme qui tenait cette modeste échoppe souriait, debout sur le pas de la porte. Lorsqu'elle me vit, son sourire s'évanouit pour se reformer ensuite, plus pincé.

Elle cria aux Américains :

– Bonnes vacances !

Elle avait à peine trente ans. De corpulence petite et robuste avec un large visage ouvert. Pieds nus dans une robe rouge déguenillée.

Nous entrâmes dans la pénombre de la baraque en passant devant elle. Il y avait des étagères rudimentaires chargées d'objets artisanaux – des animaux en bois sculpté, des broderies en perles, des tapis et des sacs tissés, des jouets en fil de fer. Un condensé d'Afrique répété à l'infini et servi aux touristes. Un avis manuscrit truffé de fautes d'orthographe nous informait que ces objets étaient fabriqués par les habitants des villages du district. Nous déambulions d'une étagère à l'autre. Il faisait très chaud.

Laurence dit :

– C'est tellement…

– Tellement quoi ?

– Tellement pauvre.

Dehors la voiture démarra, et la femme rentra en se frottant les bras.

– Bonjour, vous allez bien ? dit-elle sans s'adresser à personne en particulier.

– Bien, dis-je. Et vous ?

– Vous achetez quelque chose ?

– On vient juste voir.

Laurence regardait autour de lui, l'air peiné.

– C'est votre magasin ? demanda-t-il.

– Non, c'est mon travail ici.

– Il appartient à qui ?

D'un geste de la main, elle désigna la porte. Quelqu'un, là-bas, à l'extérieur.

– C'est très joli.

Elle sourit et hocha la tête.

– Oui, oui, dit-elle. Soyez les bienvenus.

— Je vais t'offrir quelque chose, Frank, dit-il.

Il tenait un poisson en bois, grossièrement sculpté.

— Vingt-cinq rands, dit-elle.

— Pour te remercier de m'avoir emmené en balade aujourd'hui. J'ai passé un bon moment.

— Ce n'est rien. Tu ne dois pas faire ça. Ce n'est pas la peine.

— Si, si, je veux.

— Vingt, dit-elle.

— Je vous paie vingt-cinq.

Il comptait la monnaie à mesure qu'il la déposait dans sa main.

— Merci, vous avez un très joli magasin. Comment vous appelez-vous ?

— Maria.

— Votre magasin est très agréable, Maria.

— Je trouve aussi, dis-je.

Elle me regarda droit dans les yeux pour la première fois depuis que j'étais entré et dit :

— Vous avez été beaucoup occupé.

Ce n'était pas une question mais je répondis comme si c'en était une.

— Hum, *ja, ja,* c'est vrai.

Je tenais sur mes genoux la forme sommaire du poisson tandis que nous roulions hors des eucalyptus bleus. Dans le contre-jour de la fin de l'après-midi, l'escarpement devenait une vague sombre sur le point de se fracasser.

— Tu es déjà venu, dit-il.

— Oui, je m'y suis arrêté le premier jour. En allant à l'hôpital.

— Mais ça fait des années.

— Oui.

Il baissa sa vitre et l'air chaud nous enveloppa. La journée se terminait et nous filions à vive allure, abandonnant derrière nous les endroits visités aujourd'hui, éparpillés pêle-mêle, comme autant de points sur une carte que nous seuls savions déchiffrer. Une journée plaisante, marquée par une certaine apesanteur, qui rendit le coup encore plus percutant lorsqu'il demanda soudain sur le ton de la conversation :

— Tu as couché avec cette femme ?

— Pardon ?

— La femme du magasin. Est-ce que…

— Oui, j'ai entendu. Non. Non. Qu'est-ce qui te fait penser ça ?

— Je ne sais pas, quelque chose dans l'air.

— Eh bien, non.

— Je t'ai offensé ?

— Non, je suis seulement… surpris.

— Excuse-moi. Quand je pense une chose, je le dis. C'est plus fort que moi.

Nous ne parlâmes plus jusqu'à la fin du trajet. La nuit tombait presque lorsque nous arrivâmes – un jour entier de passé, la fin de ma garde. Je ne retournai pas au bureau, mais je n'avais pas envie d'aller dans la chambre non plus. Il n'y avait rien à faire et je me sentais nerveux, exalté.

Laurence ne voulait pas souper, il dit qu'il n'avait pas faim, et j'allai seul au réfectoire. N'ayant pas faim moi non plus, je me retrouvai assis dans la salle de loisirs, devant une télévision muette réduite à un défilé chaotique d'images vides, en train de lancer une balle de ping-pong d'une main dans l'autre. Envahi par un malaise grandissant. De vieilles questions que j'avais appris à ne plus poser me hantaient à nouveau. Des besoins et des désirs anciens. J'avais du mal à rester en place et au bout d'une heure ou deux je lâchai la balle qui rebondit par terre. Je sortis en direction du parking. La lumière de ma chambre était allumée, elle s'éteignit à l'instant où je la regardais.

Je roulai doucement au départ, puis de plus en plus rapidement. Je me sentais comme investi d'une mission dont je devais m'acquitter au plus vite et au mieux, alors que la vérité n'était que malaise et désœuvrement. Je me garai à l'endroit habituel et marchai jusqu'à la baraque. Elle avait entendu la voiture et elle m'attendait. Elle me prit par la main pour me conduire à l'intérieur et me tourna brièvement le dos tandis qu'elle fermait la porte – un loquet qui n'aurait pas résisté à un enfant, un bout de ficelle enroulé autour d'un clou.

3

Je n'avais pas tout à fait menti à Laurence : je m'étais effectivement arrêté à la petite baraque le premier jour, en allant en ville. Je découvrais les choses ; et c'était une chose de plus à découvrir. Maria était là. Dans cette même robe rouge, peut-être, les pieds nus. Elle avait dit bonjour tandis que je regardais ébahi les étagères d'animaux sculptés.

– Vous voulez un éléphant, dit-elle.

– Non, non, je regarde simplement.

– Regarder ne coûte pas.

– Oui.

À moins que rien de tout cela n'ait été dit, que sa robe ait été noire. Je n'en garde aucun souvenir. Je n'ai même aucune image de son visage ce premier jour ; je sais seulement que je suis allé là-bas et qu'elle devait y être parce que la fois suivante il m'avait semblé l'avoir déjà vue. Et elle me reconnut immédiatement ; elle me sourit, me demanda comment j'allais.

C'était presque deux ans plus tard. En revenant de conduire un patient à l'autre hôpital, le meilleur, j'avais vu le panneau attaché à un arbre au bord de la route. Quelque chose dans cette pancarte – le tragique du tracé grossier des lettres, les fautes d'orthographe – m'avait poussé à m'arrêter.

Puis son visage, son grand sourire.

– Comment vous allez, aujourd'hui ? dit-elle. Vous n'êtes pas triste ?

– Triste ?

– La dernière fois, vous êtes trop triste.

Elle portait une robe de coton bleu marine presque transparente par endroits, à force d'avoir été lavée. Ses poignets et ses chevilles étaient alourdis par des bracelets.

– Comment tu t'appelles ?

– Je suis Maria.

– Non, quel est ton vrai nom ? Ton nom africain.

Quelque chose se referma dans son visage ; elle baissa les yeux.

– Maria, répéta-t-elle. Maria.

Je n'insistai pas. Ce nom ne lui allait pas, sonnait mal dans sa bouche, mais j'aimais la modeste détermination avec laquelle elle dressait cette petite barrière. Elle me parut soudain mystérieuse.

Je suis peut-être resté deux heures assis dans un coin, sur une caisse en bois, à parler avec elle. Ce n'était pas une conversation ; je posais des questions et elle répondait. *Qui es-tu ? D'où viens-tu ? Quel âge as-tu ?* Je voulais tout savoir.

Elle travaillait là depuis trois ans. Elle faisait tout dans la minuscule baraque – manger, dormir, se laver. Quand je lui demandai où étaient ses affaires elle désigna une valise cabossée pleine de vêtements, rangée sous une des étagères. Elle me montra son lit : une couverture élimée, soigneusement pliée en quatre. Une bassine rouillée lui servait à faire sa toilette. L'eau, disait-elle, venait du village juste en dessous. Quelqu'un lui montait aussi de la nourriture.

Est-ce que c'était son village ? Non. Elle était loin de chez elle. Pourquoi vivait-elle ici ? À cause de la boutique. Alors, pourquoi est-ce que la boutique se trouvait à cet endroit ? Parce que son mari l'avait construite là. C'était son idée à lui de la faire travailler. Il allait dans les autres villages chercher les bibelots et les sculptures qu'il rapportait pour qu'elle les vende. Il vivait avec elle, dans la boutique ? Non, ailleurs. Au village, en bas ? Non, encore ailleurs, elle ne savait pas bien où. Parfois, il venait. Quand l'avait-elle vu, la dernière fois ? Elle tendit six doigts. Des heures, des jours, des semaines ?

Elle parlait à demi-mot et par gestes, souriant sans cesse. Une ou deux fois, elle avait ri d'elle-même. Je ne parvenais pas à détacher mon regard d'elle. Fasciné par l'obscure calligraphie gestuelle de ce langage de signes et de sons qui semblait avoir été inventé pour nous seuls. Jamais auparavant je ne m'étais trouvé dans un lieu tel que ce petit carré de sable avec ses étagères surchargées d'animaux en bois. Bien avant qu'il fasse trop sombre pour discerner quoi que ce soit, j'eus une impulsion à laquelle je finis par céder : me pencher vers elle et lui toucher le cou du bout des doigts. Elle se figea.

— Viens avec moi, dis-je. Allons ailleurs.

— Où ?

— Dans ma chambre.

Je me sentais téméraire. Elle secoua la tête et s'écarta de ma main.

— Pourquoi pas ?

— Pas possible, dit-elle. Pas possible.

J'étais allé trop loin ; elle était tendue et lointaine, maintenant ; j'avais mal évalué la situation. Pourtant, lorsque je m'étais levé pour partir, après m'être ressaisi, elle avait brusquement dit :

— Plus tard.

— Plus tard ?

— Viens après. Après, quand la boutique est...

Elle fit un geste pour signifier *fermée, close*.

— Quelle heure ?

— Huit heures. Quand il fait noir.

— Très bien, dis-je. Je reviendrai plus tard.

Je rentrai à l'hôpital où je me douchai, me rasai, changeai de vêtements. Je vibrais d'une tension faite de désir et d'appréhension. Le rendez-vous semblait né d'une partie de moi inconnue jusqu'alors. Qu'est-ce que je voulais ? Pourquoi je faisais cela ? L'idée que tout ceci n'était qu'un piège me traversa l'esprit ; d'autres gens étaient peut-être embusqués ; crime, enlèvement, chantage, tout se télescopait. Je savais parfaitement qu'il ne fallait pas y retourner.

Mais j'y suis retourné. J'avais très peur. Elle m'attendait. Elle me dit de déplacer la voiture, de la garer plus bas, au-delà de la ligne des buissons, loin de la baraque. Je revins à pied dans l'obscurité, le cœur battant. Elle avait peur, elle aussi, elle regardait sans cesse autour d'elle, retenait sa respiration. La lampe était éteinte. Elle me prit la main pour me conduire dans un espace de temps anéanti, où la mémoire n'a pas de prise.

C'était toujours pareil. Le scénario élaboré cette première nuit allait se répéter encore et encore les nuits qui suivirent — garer la voiture à la dérobée, revenir vers la porte où elle m'attendait. Puis elle fermait le loquet derrière nous, et nous nous allongions sur la couverture élimée, à même le sol.

Nous faisions l'amour rapidement, dans l'urgence et à demi vêtus, toujours avec une part de peur. Je ne savais pas de quoi nous avions peur jusqu'à ce qu'elle lui donne un nom, une nuit : je ne devais pas venir le lendemain, disait-elle.

– Pourquoi ?

– Danger. Danger.

– Quel danger ?

– Mon mari.

Manifestement, je devais me cacher de lui, pour son bien à elle. Mais quelque chose en elle me laissait penser qu'il pourrait me faire du mal. Elle refusait d'en dire plus. La nuit suivante je passai en voiture à proximité, pour voir, et une voiture était garée dehors. Une voiture blanche, une marque que je ne connaissais pas. Devant la porte, bien en vue.

À dater de cette nuit-là, sa présence était inscrite, dressée quelque part derrière elle, un visage mal défini. J'attendis une semaine avant de retourner la voir. Je demandai :

– C'est vraiment ton mari ?

Elle hocha la tête avec gravité.

– Vraiment ? dis-je. Ce n'est pas seulement un petit ami ? Vous êtes mariés pour de bon ? Mariés ?

– Mariés, dit-elle en secouant obstinément la tête.

Impossible de dire si elle avait compris la question.

Elle ne portait pas d'alliance, ce qui ne voulait rien dire. Une existence nue et dépouillée comme la sienne échappait aux choses habituelles. Elle pouvait très bien s'être mariée au cours d'une cérémonie ou d'un rituel n'impliquant pas le port d'une bague. Aucun moyen de le savoir. J'aimais cela ; j'aimais ne pas en savoir trop sur elle. Ce n'était pas une relation au sens courant du terme. Jamais de ma vie je n'avais connu l'équivalent de cette obsession dépourvue de mots, cette compréhension tacite si éloquente. Bien sûr, j'avais connu d'autres femmes après le naufrage de mon mariage ; j'avais eu une brève aventure avec Claudia Santander, à l'hôpital, quelques liaisons passagères, mais aucune de ces relations n'avait atteint ce silence, cette étrange puissance. Tout reposait sur ce qui m'attendait là, la nuit : l'intérieur misérable de la baraque, le sol dur et sale, l'odeur de sa transpiration – confusément repoussante parfois – lorsque je défaisais sa robe. Et dans le noir, l'étreinte brûlante, aveugle.

Nous n'échangions pas de gestes tendres. Ou alors parfois, d'une façon particulière. Je la touchais et je la caressais mais jamais elle ne me touchait ainsi. Nous n'avions pas le droit de nous embrasser – j'avais essayé et elle avait brutalement détourné le visage en disant : « Non, non. » J'avais demandé pourquoi sans recevoir la moindre explication et ce mutisme me convenait. Comme me convenait notre incapacité à réellement parler. Nous nous unissions dans l'intimité de l'acte primitif en maintenant béante la profonde distance qui nous séparait.

Parfois on ne faisait pas l'amour. Parfois ce n'était pas ce que je cherchais. Je restais étendu, la tête sur son épaule et la main glissée sous sa robe, posée sur sa poitrine. Quand cela arrivait, c'était généralement silencieux, seules nos respirations s'insinuaient dans le noir. Une fois, elle m'a parlé, un long monologue mélodieux dans sa langue à elle. Je ne compris pas un mot et néanmoins sa voix esquissait à l'intérieur de mes paupières une histoire où nous étions ensemble, ailleurs.

J'eus ainsi deux vies pendant un temps : celle du jour, à l'hôpital, vide et vaine, et celle de la nuit, intense et illicite, au bord de la route. Elles étaient sans rapport l'une avec l'autre. Durant longtemps, elle ne manifesta aucun désir de savoir qui j'étais, ce que je faisais. Et lorsqu'elle posa finalement la question, je répondis par un mensonge. Je dis que j'étais ingénieur de l'État, en poste ici pour deux ans. Je lui expliquai que je travaillais pour l'instant à l'hôpital, raison pour laquelle il m'arrivait de conduire l'ambulance. Je dis aussi que je vivais dans un petit appartement de fonction en ville et que ma femme habitait une grande agglomération et me rendait souvent visite. J'ignore les raisons de ces mensonges, je sais seulement que je voulais la tenir à l'écart de mon autre vie, celle de la journée.

Je n'avais pas à m'inquiéter. Jamais elle ne parut s'intéresser à cet aspect de ma personne ; pour elle, même la ville semblait appartenir à une autre planète. Je ne l'y avais vue qu'une fois. Alors que je descendais la rue principale en voiture, un après-midi, je l'aperçus sur le trottoir, marchant seule. Je fis mine de ne pas la voir et tournai au premier croisement. Elle n'y fit jamais allusion, peut-être ne m'avait-elle pas vu, mais pendant les deux jours qui suivirent, je me sentis coupable de trahison.

Pourtant, j'y suis retourné ; j'y retournais toujours. Chaque soir, lorsque je n'étais pas de garde ou qu'elle ne m'avait pas demandé de ne pas venir, je roulais vers elle, à la tombée de la nuit. La baraque, structure fragile et immuable, était toujours là.

Entre nous, les choses ont commencé à paraître solides, elles aussi, bien réelles, avec leur étendue, leur fondement. Au point de me faire peur. Je me disais : *ça ne peut pas durer, il faut que ça s'arrête*. Je ne voulais pas me sentir contraint, ni responsable. Je ne voulais rien que je risquerais de devoir payer un jour.

Puis, une nuit, elle me demanda de l'argent.

En un instant, tout était changé.

Une banale demande au moment de partir, je finissais de me rhabiller et je laçais mes souliers lorsqu'elle dit :

— Je dois demander un service.

— Qu'est-ce que c'est ?

Pourtant, je savais. Je me suis rendu compte que je m'y attendais depuis la première nuit.

— J'ai des gros problèmes. Mon mari…

Elle se lança dans une longue histoire à laquelle je ne comprenais rien, à propos de lui. Avant qu'elle ait fini, je lui dis :

— Très bien, tu as besoin de combien ?

— Je demande deux cents rands.

— D'accord.

— Tu les donnes ?

— Oui.

— C'est seulement pour emprunter.

— Pas de problème, tu peux les garder.

Je l'ai dit d'un ton dégagé. Nous parlions tous les deux d'une manière indifférente, désinvolte.

Par la suite, je lui donnai de l'argent de temps à autre. Tantôt elle m'en demandait, tantôt je lui en donnais sans qu'elle en parle. Ces transactions gardaient à jamais la trace de ce premier moment révélateur ; désormais, nous voyagions dans un paysage différent. À partir de là, j'ai senti à quel point l'essentiel de ma vie là-bas, à l'hôpital, reposait sur ce qui se passait dans la baraque. À quel point tout y avait pris un sens – même si je n'y avais rien compris. Ce qui avait existé jusque-là – le sentiment d'innocence stupide – avait disparu. Je doutais de tout. J'étais assailli de questions : qu'avait-elle en tête, cette première nuit, en me demandant de revenir plus tard ? Chaque fois que j'étais venu la voir, en quête de soutien et de réconfort, avait-elle voulu autre chose ? L'argent avait-il été la raison de tout ?

Maintenant je voyais, je voyais réellement, ce que j'avais en face de moi. Cette habitation rudimentaire, son sol de sable et ses odeurs étranges, n'étaient pas que l'arrière-plan exotique des nuits où je m'évadais de mon existence : elle vivait vraiment là, en permanence. Elle était très pauvre ; elle n'avait rien. Les pièces et les billets que je lui fourrais dans les mains en franchissant la porte symbolisaient ce qui nous séparait, qui ne pourrait jamais se mesurer ; une disjonction entre nos vies mêmes. L'argent ne comblerait jamais l'abîme ; il était l'abîme. Nous ne savions rien l'un de l'autre.

Je n'arrêtais pas d'y penser. À longueur de journée, je réfléchissais à ces quelques heures de la nuit. Savoir ce qui était vrai n'était plus possible. Je mettais en doute tout ce qu'elle me disait. Jusqu'au fait qu'elle vive dans la baraque. Elle n'y habitait peut-être pas ; elle se rendait peut-être ailleurs après mon départ. Je n'avais jamais passé la nuit là, pour en avoir le cœur net. Et son mari – existait-il vraiment ? De lui, j'avais seulement vu cette voiture blanche, à l'extérieur, qui pouvait appartenir à n'importe qui. Et s'il existait – cet homme fantôme et sans visage –, était-il au courant de mon existence ? Était-ce lui qui, à distance, tirait les ficelles ? Mes petits mensonges, si insignifiants, semblaient apporter la confirmation qu'elle en faisait autant. C'était tellement facile ; pourquoi pas ? Ses soupirs, son mauvais anglais, ses gestes des mains pour se faire comprendre – cela commençait à sentir le mensonge et la dissimulation. Elle me comprenait peut-être parfaitement quand je parlais. Oh, il y avait une part de délire dans mes pensées, je le savais. Mais ma méfiance et mes soupçons étaient infinis ; aussi infinis que ma propre malhonnêteté.

J'allais là-bas pendant la journée. Selon moi, c'était ce qu'il y avait de mieux à faire : la voir de manière normale, quand le soleil était levé. J'essayais de la surveiller, de découvrir qui elle était. Je ne trouvais rien. Je restais assis sur la caisse en bois, souvent pendant de longues périodes de silence. Des gens passaient sans arrêt. Des voyageurs ou des touristes qui se rendaient à la frontière ou dans les réserves naturelles proches et s'arrêtaient pour voir, et parfois acheter, ce qu'il y avait sur les étagères. Il y avait aussi une femme, venue du village en contrebas, qui apportait de la nourriture ou du thé dans des assiettes et des tasses ébréchées, en métal émaillé ; en me voyant la première fois, elle s'était retirée précipitamment, l'air affolé, mais Maria avait dû lui parler puisque ensuite elle s'asseyait toujours un moment en m'observant avec un sourire timide. Elle ne parlait pas un mot d'anglais.

Et un jour, ce fut fini. Comme mon mariage, sans véritable instant décisif ; quelque chose d'inévitable dans la situation et en nous avait fait son chemin, à la longue. Cet amour mystérieux lié à la nuit et au silence était devenu une relation banale, aussi quotidienne et réelle que ma vie.

Je cessai d'y aller. Pas du jour au lendemain, peu à peu. D'abord une fois par semaine, puis tous les quinze jours, jusqu'à ce qu'un mois entier se soit écoulé. Et soudain, tout se retrouva derrière moi. Je passais parfois en voiture, sans m'arrêter, pour m'assurer que la baraque était toujours là. Une fois, je vis la voiture blanche garée devant et j'éprouvai ma première authentique bouffée de jalousie. Cependant, je n'y retournai pas. Je me disais que j'irais un jour. Je voulais attendre un peu, quelques mois, que s'efface ce qui avait échoué. Alors, j'y retournerais comme autrefois, la nuit, sans trop parler. Et ce serait comme au début. L'attente se prolongea, les quelques mois devinrent un an, un an et demi, plus. Je sus alors que je n'y retournerais jamais.

Jusqu'au jour où j'étais passé avec Laurence Waters, où tout était différent, un enchaînement de circonstances.

4

Le lendemain de l'arrivée de Laurence, le docteur Ngema m'appela dans son bureau, le matin, pour me parler. Nous étions assis dans les fauteuils bas, face à son bureau, signe annonciateur d'un entretien personnel et informel.

Le docteur Ngema avait une soixantaine d'années, c'était un petit bout de femme grisonnante au visage sérieux. Si dans la conversation nous nous appelions par nos prénoms, dans mon esprit elle demeurait le docteur Ngema, ce qui donne la mesure de notre relation. Elle était la directrice de l'hôpital, mon employeur et ma supérieure. Or l'histoire voulait que, pour des raisons complexes, je sois le prétendant au trône, et nos échanges relevaient d'une diplomatie fragile et difficile.

J'étais arrivé à l'hôpital pour succéder au docteur Ngema. Le poste était justement à pourvoir alors que j'étais à un tournant critique de mon existence. Mon mariage avait échoué, je ne parvenais plus à exercer mon métier, je voulais changer radicalement de vie. Cette opportunité semblait correspondre à ce que je cherchais. Pendant un temps, tout s'était parfaitement mis en place.

Le docteur Ngema devait prendre de nouvelles fonctions dans la capitale, au sein du Département de la Santé. Elle travaillait à l'hôpital depuis dix ou onze ans, après avoir passé la majeure partie de sa vie en exil. Elle n'avait guère envie de végéter ici, à l'écart de tout, mais c'était une façon de se maintenir dans le circuit en attendant de se rapprocher du centre. Maintenant, son heure était venue. Il lui suffisait de désigner son remplaçant, et elle m'avait choisi. Il n'y avait eu – je l'ai appris plus tard – que trois autres candidats. Le comité de sélection se limitait au seul docteur Ngema, qui avait apparemment trouvé en moi celui qu'elle cherchait.

Au départ, donc, tout semblait aller pour le mieux. J'arrivai avec un mois d'avance afin qu'elle me mette au courant. Or, une ou deux semaines après mon arrivée, le fameux poste qu'elle convoitait ne fut soudain plus disponible. Un changement était intervenu. Par conséquent, mon nouvel emploi n'avait plus de raison d'être.

J'aurais pu partir. On m'avait proposé un dédommagement, présenté des excuses, et j'aurais pu m'en retourner dans le chaos de mon ancienne vie. Je décidai de rester. D'après le docteur Ngema, le poste auquel elle aspirait finirait par se libérer à nouveau, c'était une question de temps et, bien entendu, si je travaillais ici je serais le premier de la liste. Je ne la croyais pas mais je choisis de la croire. Je me disais que ce ne serait pas long, un an ou deux, et que je repenserais ensuite à mon avenir.

Un an ou deux étaient devenus six ou sept ans, j'étais toujours là. De temps à autre le docteur Ngema faisait courir des bruits, prise d'une légère agitation : enfin, c'était fait, le poste allait se libérer ; la déception et la résignation succédaient invariablement à ces bouffées d'espoir. Sans qu'elle y soit pour rien, ces rumeurs et ces contretemps rendaient la moindre de nos conversations lourde de sens.

Aujourd'hui, elle voulait parler de Laurence. Ce qu'il avait fait la veille – en la mettant en cause devant moi au sujet de la femme opérée d'une péritonite – l'avait exaspérée. Elle voulait qu'il parte, même s'il n'était évidemment pas question de le dire ainsi.

– J'ai l'impression qu'il cherchait un autre genre d'hôpital, dit-elle. Notre fonctionnement est trop modeste pour quelqu'un comme lui.

– Je crois aussi.

– Si vous lui faisiez visiter les lieux, Frank ? Montrez-lui tout. Qu'il sache où il se trouve. Et s'il demande à être transféré, je verrai ce que je peux faire.

– Très bien. Je m'en occupe.

– Bien sûr, il est le bienvenu ici. Je ne dis pas le contraire. Cette idée de service civil… je trouve ça très bien. Je suis favorable aux innovations, aux changements, vous le savez.

– Oui, je sais.

L'innovation et le changement : une formule clé pour elle, un mantra qu'elle se plaisait à répéter. Mais qui demeurait vide. Ruth Ngema préférait de loin éviter tout changement, toute innovation, car qui pouvait dire ce qui allait s'ensuivre ? Aujourd'hui, pourtant, j'étais d'accord avec elle. Je savais ce qu'elle voulait et elle comprenait mon point de vue.

– Et s'il part, vous aurez à nouveau votre chambre pour vous seul, ajouta-t-elle. Ce serait préférable pour tout le monde.

Je fis donc visiter les lieux à Laurence. C'était étrange de faire le guide. Depuis le temps que j'étais ici, je voyais les choses sans vraiment les voir. Or maintenant je remarquais tout, comme au premier jour. Je lui fis faire le tour de l'hôpital. La vie et l'activité se concentraient à une extrémité du bâtiment principal ; il était inutile d'aller au-delà. Les portes s'ouvraient sur des salles désertes, des rangées de lits vides et fantomatiques séparés par des rideaux verts suspendus à des tringles. À l'étage se trouvaient les bureaux. Le docteur Ngema occupait le premier local, au-dessus de l'entrée centrale. En passant, nous la vîmes assise à son bureau, le visage penché sur des papiers, stylo en main, en train de griffonner ; elle leva la tête et nous adressa un sourire entendu en nous voyant. Puis ce fut une succession de petites pièces vides, dépourvues du moindre meuble. Des pièces en attente de personnel, de travail, d'activité jamais mis en place.

L'hôpital avait beau dater d'une dizaine d'années, les installations étaient restées inachevées. Trop de choses s'étaient passées. Au départ, c'était le projet du premier Premier ministre du homeland mais à peine les bâtiments étaient-ils terminés que le coup d'État militaire vint tout remettre en question. Il avait fallu attendre deux ans pour relancer l'affaire. Peu après, le gouvernement blanc avait abdiqué, là-bas, où siégeait le centre véritable du pouvoir, et tout s'était interrompu encore une fois. Enfin, le homeland avait cessé d'être un homeland et, depuis sa réintégration au sein du pays, une incertitude perpétuelle pesait sur l'avenir et la raison d'être de l'hôpital.

Un endroit indécis donc, entre quelque part et nulle part. Les bâtiments constituant ce fouillis disparate tombaient lentement en ruine, à l'instar de tous les édifices de la ville. L'herbe avait commencé à pousser sur les toits. Les murs roses – personne ne savait pourquoi l'ensemble avait été peint en rose – avaient tourné à l'orange délavé à cause des intempéries. Les abords des murs d'enceinte et les grilles étaient à l'abandon. La nuit, la plupart des fenêtres alignées en chapelet régulier derrière des barreaux restaient noires.

Pour les quelques-uns d'entre nous encore présents, la vie oscillait entre deux pôles de violence et de banalité. Durant de longues périodes d'ennui, il ne se passait rien, l'endroit restait vide. Puis survenait une soudaine effervescence, quelqu'un arrivait au milieu de la nuit, blessé, en sang. Nous nous efforcions de le soulager. En vérité, nos possibilités étaient très limitées. Nous étions mal équipés, mal approvisionnés, dépourvus d'argent. Il serait d'ailleurs plus juste de dire que certaines choses manquaient et que d'autres s'accumulaient dans les armoires. Nous possédions des stocks importants de produits rarement utilisés alors que des livraisons de médicaments essentiels étaient suspendues à cause d'un excès de factures impayées quelque part en amont du système. Les préservatifs, par exemple : nous en avions des étagères entières dont nous ne savions que faire tandis que nos commandes sans cesse renouvelées de gants, de compresses stériles, de papier à rayons X restaient lettre morte. Nous avions un respirateur artificiel et quelques éléments d'équipement pour les soins intensifs mais les coupures de courant étaient fréquentes et nous ne parvenions pas à obtenir du gouvernement provincial qu'il répare notre groupe électrogène. Il n'était pas rare d'opérer des patients gravement blessés à la lueur d'une lampe de poche.

Dans l'autre bâtiment, celui où nous dormions, la situation était calamiteuse. À l'extrémité du couloir, une porte donnait sur une aile destinée à servir d'extension au bâtiment principal. Là se trouvaient d'autres salles, d'autres bureaux ; en réalité, le miroir de l'aile principale. Mais tout avait été pillé. Il restait une ou deux carcasses de lits métalliques et quelques lambeaux de rideaux accrochés par-ci par-là. Ce qui pouvait servir avait été emporté. Dans les salles de bains, les lavabos avaient été arrachés des murs, les pommeaux de douche démontés. Les tuyaux pendaient dans le vide. Des oiseaux nichaient dans une ou deux pièces dont les carreaux avaient été cassés. Les roucoulements des pigeons résonnaient étrangement dans le silence et des constellations de fientes blanches tachaient le sol.

Nous nous taisions en arpentant cette ruine soumise à un lent abandon. Parvenus à l'autre extrémité, où une entrée condamnée et barricadée de planches aurait dû déboucher sur le parking, nous nous arrêtâmes. Une fenêtre donnait sur le parterre en friche qui nous séparait du bâtiment principal. L'ombre des feuilles dansait sur nos visages.

– J'imagine que tu ne t'attendais pas à ça, dis-je.

– Non.

– Tu n'es pas obligé de rester. Si tu demandes ton transfert, je suis sûr que le docteur Ngema…

– Oh, dit-il surpris. Je veux rester.

Je le regardai. Je le voyais pour la première fois, avec mon regard neuf. Il était élancé, grand, mince. Un visage large et ouvert sous une frange de cheveux blonds. Une physionomie franche, commune, excepté cette qualité que j'avais décelée d'emblée et qui l'enrobait comme une seconde peau. Une qualité sur laquelle je ne parvenais pas à mettre un nom, qui rendait son visage remarquable.

— Pourquoi es-tu venu ici ?

— Tu le sais bien.

— Je veux dire, pourquoi ici ? Tu as demandé à venir dans cet hôpital. C'était une requête spéciale. Pourquoi ?

Il ôta ses lunettes et les essuya sur sa manche. Ses yeux gris clignaient faiblement tandis qu'il regardait par la fenêtre.

— J'avais entendu dire que c'était une petite structure, dit-il. Qu'il y avait pas mal de problèmes.

— Je ne comprends pas. Logiquement, ce serait plutôt des raisons de ne pas venir ici. Pourquoi t'infliger une chose pareille ?

Il n'avait pas envie d'en parler. Il remit ses lunettes et désigna à travers la fenêtre, au-dessus des arbres, la plus haute des collines bordant la ville.

— Eh ! Qu'est-ce que c'est ?

— C'était la maison du Général.

— Quel général ?

— Tu es sérieux ?

— *Ja.* Je devrais le connaître ? Il est célèbre ?

— Il a renversé le gouvernement du homeland en faisant un coup d'État.

Déjà, son visage n'exprimait plus aucun intérêt ; il regardait autour de lui, l'air à nouveau contrarié.

— Tout ceci, dit-il, est définitivement voué à l'abandon ? Qu'est-ce qui s'est passé ? Ça va rester comme ça ?

— Si tu veux mon avis, tout sera arraché, morceau par morceau. Il y a déjà eu des pillages, des vols. Tu le vois bien toi-même.

– C'est terrible. Qui fait ça ?

Je haussai les épaules.

– N'importe qui peut entrer. La porte n'est pas fermée à clé.

Je n'y attachais pas une grande importance mais la profondeur de son désarroi était manifeste. Je le voyais examiner attentivement les traces de ce qui avait disparu dans le couloir crasseux ; les plinthes manquantes, les plafonniers arrachés, les fils électriques à nu. Il secoua la tête :

– Pourquoi ? À quoi ça sert ?

– Il y a beaucoup de gens très pauvres, par ici. Ils se servent de tout.

– Mais c'est pour eux. L'hôpital. C'est pour eux !

– Va le leur dire.

Je crus qu'il allait éclater en sanglots. Son expression butait sur un dilemme qu'il ne pouvait pas résoudre. Je posai la main sur son épaule et lui dis :

– Viens, on sort. C'est trop déprimant.

– Pourquoi est-ce que personne ne fait rien ?

– Faire quoi ?

Nous rebroussâmes chemin dans l'étrange mausolée, laissant l'empreinte de nos pas dans la poussière. Les pigeons s'affolaient à notre approche. Dehors, aveuglé par le soleil brûlant, je dis :

– Voilà, c'est ça. C'est l'hôpital.

– Il n'y a rien d'autre ?

– Si on allait faire un tour en voiture ? Voir ce qui se passe en ville.

Il possédait une petite Volkswagen bleue, une coccinelle, encore plus vieille et plus cabossée que ma voiture. Et elle lui allait très bien. Une sorte d'indifférence s'était emparée de lui, il avait perdu son air de jeune médecin consciencieux en blouse blanche.

— Où va-t-on, Frank ? demanda-t-il. Dis-moi par où je vais.

Nous descendîmes paresseusement la rue principale, seule artère goudronnée de la ville, passant devant des magasins abandonnés, aux étagères vides. Quelques commerces subsistaient pourtant : le petit supermarché inactif et pratiquement désert dans la fournaise, où un employé solitaire s'ennuyait à une caisse. Dehors, l'agent de sécurité s'éventait lentement avec sa casquette et suivait des yeux la voiture, comme dans une scène de télévision lointaine. Au croisement central, dominant les lézardes de la fontaine délabrée posée sur son ovale de gazon jauni, la statue conservait sa posture résolue, une main sur la hanche et l'autre bras tendu vers le futur ou le bush. Ses jambes viraient au vert.

— C'est lui, le Général, si ça t'intéresse.

— Où ?

— Je parle de la statue.

— Ah bon.

— Si tu veux, je te raconte son histoire.

De nouveau, son intérêt s'était dissipé ; l'histoire de la statue appartenait à un monde dans lequel il ne vivait pas. Je ne lui ai donc pas raconté que, peu après mon arrivée en ville, j'étais parti marcher dans l'arrière-pays. À l'époque, je débordais d'une fureur sans objet qui me poussait à entreprendre des incursions aussi longues qu'insensées dans le bush, avec un sac à dos et une tente. Je savais rarement où j'allais et, un jour que je me frayais un chemin dans la jungle d'un ravin au nord de la ville, j'avais découvert un énorme objet métallique à demi englouti dans le sable. Il semblait tombé du ciel. C'était un buste ancien, de la taille d'une voiture, et ce n'est qu'après avoir vaincu un fouillis de ronces et de lianes que je reconnus le visage de l'ancien Premier ministre du homeland. Il arborait, dans cette version en bronze de lui-même, une expression de piété clairvoyante. Antérieure au coup d'État militaire et aux vingt-quatre accusations de fraude et de corruption qui l'avaient contraint à fuir.

Quelques jours passèrent avant que je comprenne que cette sculpture occupait autrefois le socle sur lequel était maintenant la statue du Général, au centre du grand carrefour. J'imaginais la foule des soldats en délire armés de haches, de chaînes et de barres de fer, jetant à bas le héros de bronze. Je ne sais comment ils l'avaient amené là, au milieu du ravin, où il était réduit à n'être qu'une sévère tête de métal dont le corps devait reposer non loin. Jamais je ne suis retourné là-bas.

Je montrai à Laurence le parlement désaffecté avec son dôme absurde et ses ouvertures condamnées. Je lui montrai la bibliothèque qui n'avait jamais contenu le moindre livre. L'école où rien n'avait jamais été enseigné. Les immeubles, les logements de fonction destinés à abriter les travailleurs qui afflueraient pour diriger des bureaux, gérer des services selon un plan établi – d'ailleurs des travailleurs étaient effectivement venus pendant quelque temps. Mais il n'y avait pas de travail. Des troubles avaient éclatés et, finalement, les gens s'étaient peu à peu retirés, gagnant les villes ou rentrant chez eux, sauf quelques-uns qu'on repérait de loin, perdus dans leur uniforme et l'inutilité de cet espace.

Puis la route atteignait l'autre extrémité de la ville et laissait rapidement la place au néant. Les immeubles s'arrêtaient net, suivant une ligne. Face à nous, le bush reprenait le pouvoir : une immensité d'herbes ocre, où se dressaient des fourmilières et des buissons épineux. Au loin s'étirait la bande sombre d'une forêt.

Il était assis au volant, le regard perdu dans les vibrations de la chaleur. Son visage trahissait un peu le même désarroi qu'à l'hôpital.

— Et maintenant, qu'est-ce qu'on fait ? dit-il.

Je crus déceler une note de désespoir.

— Tu veux boire un verre ?

— Mais où ?

— Il y a un endroit, en ville.

— Vraiment ?

Il me défiait du regard ; il suspectait peut-être une blague. En fait, l'endroit tenu par Mama Mthembu était très plaisant et, curieusement, toujours bondé. Les fonctionnaires rongés par l'ennui, les travailleurs en congé, tous s'y précipitaient. Et aujourd'hui, en nous asseyant sous la bougainvillée de la petite cour, à l'écart du vide et de l'isolement de l'extérieur, nous aurions pu être n'importe où, dans n'importe quelle agréable ville moyenne. La saleté des tables en plastique et la tristesse des visages au bar étaient sans importance ; il y avait autour de nous du mouvement, des voix humaines, l'illusion d'une communauté.

Mama Mthembu était une vieille femme extrêmement grosse, arborant toujours la même robe à fleurs, les mêmes sandales, le même sourire édenté. Un sourire que tout justifiait : elle dirigeait le seul commerce florissant de la ville. Lorsqu'elle avait commencé, c'était un hôtel qui, pour des raisons évidentes, avait irrémédiablement périclité. Aux deux étages, les chambres demeuraient aussi vides que celles de l'hôpital et l'essentiel de l'activité s'était déplacé vers le bar et la cour.

Elle venait maintenant vers nous en souriant gentiment, le visage en sueur, pour essuyer la table avec un chiffon sale.

– Comment allez-vous, monsieur le docteur ?

Après tant d'années passées ici et en dépit d'un séjour de deux semaines dans son hôtel quand j'étais arrivé, elle n'avait jamais retenu mon nom.

– Je vais bien, Mama. Et toi ?

– Pareil, pareil. C'est qui, ton ami ?

– Il s'appelle Laurence Waters. C'est un nouveau docteur à l'hôpital.

– Bienvenue, bienvenue. Je vous apporte une bière ?

Lorsqu'elle fut partie, il me demanda :

– Pourquoi tu l'appelles Mama ?

– Tout le monde l'appelle comme ça, ici.

– Mais pourquoi ?

– Je ne sais pas. C'est une marque d'affection, peut-être. De respect. Je n'en sais rien.

Il regarda autour de lui les gens installés dans la cour et je vis qu'il se détendait. C'était agréable d'être là, dans cette pénombre et le brouhaha d'autres conversations. Mama nous avait servi nos bières et nous en avions bu une longue gorgée lorsqu'il dit :

— À l'hôpital, tu m'as demandé pourquoi j'ai voulu venir ici.

— Oui.

— Je vais t'expliquer. Je ne suis pas sûr que tu vas comprendre. Les autres étudiants, eh bien, ils voulaient tous la meilleure affectation possible. Personne n'était d'accord pour y aller, de toute façon, ils étaient contre. Alors, tant qu'à faire, ils voulaient que ce soit le moins pénible possible, dans un bon hôpital, près de chez eux, et tout. Le reste, ils s'en fichaient éperdument.

— Et toi ?

— Je me suis dit, tu ne vas pas faire comme eux. Tu vas trouver l'endroit le moins prestigieux possible, vraiment loin de tout. Tu vas payer de ta personne.

— Pourquoi ?

— Je veux être différent des autres.

Il m'étudiait avec un certain malaise, derrière ses lunettes, puis il baissa les yeux.

— Pourquoi ? dit-il. Tu trouves que je suis idiot ?

— Non, mais c'est un geste symbolique fort. Qu'est-ce que tu cherches ?

— Je veux accomplir un travail qui en vaille la peine, dit-il avec lenteur.

— Tu parles de travailler. Tu es venu dans un endroit où les occasions sont plutôt rares.

Il médita cela pendant assez longtemps en se mordillant la lèvre.

— C'est toujours comme ça ? dit-il enfin. Ce n'est pas possible.

— Et pourquoi pas ?

— Ça pourrait changer.

– Comment ?

– Les gens changent les choses, dit-il. Ce que les gens ont fait, ils peuvent le changer.

– Tu es un idéaliste, dis-je.

Je voulais dire *tu es très jeune*. J'avais envie de lui dire *tu ne tiendras pas.*

– Oui, dit-il en hochant gaiement la tête.

Il n'avait décelé aucune critique. Il but une gorgée de bière et redevint sérieux.

– Tu sais, Frank, je t'aime bien.

Je ne répondis pas, sa déclaration me mettait mal à l'aise même si, à vrai dire, je l'aimais bien, moi aussi. Ce sentiment ne reposait sur rien, hormis les quelques heures passées ensemble, et déjà je trouvais difficile de lui en vouloir totalement.

Ce qui, d'une certaine façon, m'amenait à lui en vouloir encore plus.

5

Dès le début, Laurence m'était apparu comme deux personnes distinctes. D'un côté, il était mon ombre, guettant mon réveil, me suivant pas à pas pendant le travail et même au réfectoire, un usurpateur malvenu qui m'encombrait jusque dans ma propre chambre. De l'autre, c'était un compagnon et un confident dont la conversation et la sensibilité allégeaient l'ennui des journées uniformes.

Moi aussi, j'étais double dans mes rapports avec lui. Il y avait le Frank sombre, irascible, qui se sentait assiégé. Et un Frank plus aimable, heureux de ne pas être seul.

La dernière fois que j'avais partagé une chambre, c'était avec Karen, ma femme – mais ici le partage était d'un autre genre. Une compagnie masculine : deux lits dans un espace restreint, l'impression d'être à nouveau à l'armée. Moins le code de discipline imposé de l'extérieur ; nous n'avions aucune règle. C'était simplement deux natures différentes jetées dans une même boîte.

Il était négligent et désordonné. Ses habitudes du premier jour n'avaient pas changé – les vêtements éparpillés par terre, le sol de la salle de bains trempé. Je remettais de l'ordre après son passage sans qu'il semble s'en apercevoir. Il continuait à jeter ses cigarettes par la fenêtre, en dépit du cendrier que j'avais acheté au supermarché et déposé en évidence sur la table. Ce qui me rendait fou.

Pourtant, il était méthodique et efficace, à sa façon. Parfois, il se mettait en tête de balayer un certain endroit ou de savonner un pan de mur. Il grattait et frottait avec une intensité étrange jusqu'à ce qu'il soit satisfait et s'adosse au mur avec une cigarette pour se détendre, laissant tomber ses cendres sur le tapis.

Un jour, je le trouvai en train de modifier la disposition des meubles de la chambre. La table basse, l'armoire et la lampe avaient changé de place. C'était sans importance, ni conséquence et j'éprouvai néanmoins une pointe d'offense personnelle comme s'il avait violé ma demeure.

– Ce n'est pas la peine de tellement t'installer, lui dis-je. C'est provisoire.

– Qu'est-ce que tu veux dire ?

– Tu ne vas pas rester ici très longtemps. Le docteur Ngema te donnera la chambre à côté, celle des Santander, quand ils partiront.

– Oh, dit-il, l'air abasourdi. Je ne savais pas.

Les meubles ont gardé leur nouvelle place et au bout de quelques jours tout me paraissait normal et naturel. Peu après, il remplaça les rideaux et punaisa quelques posters au mur. Je ressentis à nouveau cette pointe d'offense personnelle mais atténuée, moins vive. Et lorsqu'il dressa un petit autel en l'honneur de son amie sur l'appui de fenêtre, au-dessus de son lit, je n'éprouvai pratiquement plus rien.

Plusieurs photos montraient une petite femme noire aux cheveux courts. Quelques cailloux entassés, une feuille séchée et un bracelet entouraient les photos. Ces choses avaient une certaine signification, pour lui.

— Comment s'appelle-t-elle ?

— Zanele.

— Tu l'as rencontrée où ?

— Au Soudan.

— Au Soudan ?

Il était ravi de me voir tellement étonné.

— Eh oui. J'ai voyagé un an en Afrique, après le collège. J'ai passé du temps au Soudan.

— Et qu'est-ce qu'elle faisait, là-bas ?

— Du travail bénévole. Lié à un programme de lutte contre la famine. Elle consacre sa vie à ce genre d'activités.

Tout avait été dit d'un ton détaché, or je voyais bien qu'il prenait ces choses très au sérieux. Dans ces moments-là, il m'intriguait. Lui qui semblait tellement simple et direct se montrait soudain différent.

— Et où est-elle maintenant, ton amie ?

— Au Lesotho. Elle était venue en Afrique du Sud pour être plus près de moi puis elle s'est trouvée impliquée dans une autre organisation qui s'occupe du sida et elle…

Il baissa la voix, l'air heureux.

— Elle est comme ça.

Il était fier d'elle, de sa relation avec elle qui, pourtant, avait quelque chose d'étrange. On aurait dit qu'il était soulagé qu'elle soit loin, que leur intimité passe par le rituel des lettres et des photographies. Ils s'écrivaient régulièrement, une fois par semaine. Je regardais son écriture sur les enveloppes qui arrivaient : forte, dressée, nette. Alors que son écriture à lui était tremblée, hésitante. En un sens, leur relation était contenue dans le va-et-vient de ces lettres et la présence formelle de l'autel au-dessus de son lit.

Les photos près du lit ne représentaient pas toutes son amie. Sur l'une d'elles, on voyait une femme plus âgée, brune, mince, les cheveux tirés en arrière. Elle grimaçait un sourire face à l'objectif.

— C'est ta mère ?

Il secoua rapidement la tête.

— Ma sœur.

— Ta sœur ? Elle a l'air tellement plus…

— Vieille ? Je sais. Il y a un gros écart entre nous. D'une certaine manière, c'est un peu elle ma vraie mère. Elle m'a élevé quand mes parents sont morts.

— Je ne savais pas. Excuse-moi.

— Non, ça va. C'était il y a longtemps.

Il me raconta comment ses parents étaient morts dans un accident de voiture, vingt-cinq ans plus tôt.

— J'étais encore un bébé, je ne me souviens pas d'eux.

Sa sœur avait alors vingt ans et elle s'était occupée de lui, l'avait élevé. Ils avaient vécu sur la côte, dans un quartier pauvre d'une ville triste dont je n'avais jamais entendu le nom auparavant. Il était parti de chez lui pour la première fois lorsqu'il avait reçu une bourse pour étudier la médecine.

Il me donnait ces détails d'une voix légère, alerte, comme si tout cela était sans importance. Mais je me rendais compte qu'il y attachait beaucoup d'importance.

— J'ai perdu ma mère, moi aussi, dis-je, quand j'étais jeune.

— C'est vrai ?

– J'avais dix ans. Je m'en souviens très bien. Elle est morte d'une leucémie.

– C'est pour ça que tu es devenu médecin, dit-il.

C'était une affirmation, pas une interrogation ; j'étais déconcerté.

– Je ne pense pas, dis-je.

– À quel moment tu as su, tu as réellement su que tu voulais être médecin ?

– Je ne crois pas qu'il y ait eu un tel moment.

– Jamais ?

– Non.

– Comment ça se fait ?

– Je ne sais pas, dis-je. C'est comme ça.

Il sourit.

– Moi, je me souviens parfaitement de ce moment.

Il était ainsi. Un grand dessein traversait tout de part en part. Il s'était répété à l'infini le récit de l'instant de sa prise de conscience.

– J'avais douze ans. Mes parents étaient enterrés dans le cimetière près de chez nous et ma sœur disait toujours qu'elle m'emmènerait leur rendre visite. Jamais elle ne m'emmenait. Alors j'ai décidé d'y aller seul. Je passais devant chaque jour, toutes ces croix dans la terre. Et donc, un jour, j'ai franchi la grille et j'ai commencé à chercher. J'ai marché, marché. Il faisait très chaud. Je n'avais jamais vu autant de gens morts. Des rangées entières. Je parcourais les allées d'un bout à l'autre, de haut en bas, je cherchais. Impossible de les trouver. Je me suis mis à pleurer. Je n'en pouvais plus. Alors ce vieux Noir m'a vu. Il travaillait là, il portait un uniforme, un genre de blouse

blanche, et possédait une liste des gens enterrés dans le cimetière. Il avait aussi un plan. Pourtant, il n'a pas réussi à trouver
mes parents.

— Pourquoi ?

— Je ne sais pas. Je lui ai donné le prénom de mon père,
Richard. Aucun Richard Waters ne figurait sur le plan. Et
moi je pleurais, je pleurais. Il a été très gentil avec moi. Il m'a
emmené dans son petit bureau, m'a offert du thé et du pain.
Il m'a un peu parlé. Quand je me suis senti mieux, je suis
rentré à la maison. Ma sœur était là.

— Tu lui as dit ?

Il baissa les yeux.

— *Ja*. Et ç'a été ça, le moment. Je ne peux pas l'expliquer.
Elle était très gentille, elle aussi, elle m'a pris dans ses bras, m'a
dit qu'un jour nous irions ensemble sur leur tombe. Tout se
mélangeait dans ma tête, sa gentillesse, le vieux Noir…

— La blouse blanche, dis-je, pour rester dans le ton pseudo-
psychologique de son discours.

— La blouse blanche, répéta-t-il l'air songeur. Oui. Tu as
peut-être raison, Frank. L'idée m'est venue à cet instant précis.

— Que tu serais médecin.

— Oui. Ce n'était pas aussi clair que ça, tu sais, cependant…
la graine était là. Dès ce moment.

— À cause de tes parents.

— Ce qui me fait dire que ça doit être pareil pour toi. La
mort de ta mère. Moi aussi, c'est à cause de mes parents. Je
pense que nous avons beaucoup de points communs, Frank.

— Mais moi, je n'ai jamais vécu un moment pareil, dis-je.

– Tu ne t'en souviens peut-être pas. Tu as dû en avoir un, toi aussi.

Il insistait beaucoup là-dessus, mais jamais je n'étais passé par un tel moment décisif. Je n'avais pas répondu à l'appel irrésistible d'une vocation, seulement à une ambition trouble et au besoin d'impressionner mon père. Pourtant, j'étais tracassé, incapable de chasser cette question qu'il m'avait mise en tête. J'aurais dû éprouver un moment de vérité comparable au sien, me semblait-il. Bien plus tard, je me suis demandé si cette révélation dans le cimetière avait même eu lieu.

Il n'y fit plus jamais allusion. Trop absorbé par d'autres interrogations. Lorsqu'il voulait savoir quelque chose, il n'avait aucun sens de la retenue, aucune finesse. J'en étais parfois effrayé mais je finissais par lui dire des choses dont je n'avais jamais parlé avant.

Mon mariage, par exemple. Un sujet que je n'abordais pas volontiers. Sans qu'il soit encore chargé de beaucoup de tristesse – les nerfs avaient été tranchés –, cela restait un terrain privé, occulté. Une ou deux semaines après son arrivée, Laurence fonçait droit dans le mille.

– J'ai remarqué que tu portais toujours ton alliance.

– Je suis encore marié.

– Ah bon ? Où est ta femme ?

L'instant d'après, je lui révélais une foule de détails sensibles – comment Karen était partie avec Mike, mon meilleur ami à l'armée et ancien associé du cabinet médical. Elle vivait avec lui et, depuis que je m'étais retiré ici, les formalités du divorce étaient en quelque sorte au point mort, tant et si bien que nous étions toujours techniquement mari et femme.

– Et ce sera fini quand ?

– Je n'en sais rien, dis-je. Dans les six prochains mois. Elle a récemment relancé la procédure de divorce. Je crois qu'ils sont pressés de quitter le pays.

– Elle veut se remarier ?

– J'ai l'impression.

– Avec ce type ? Ton ami de l'armée ?

– Mike ? *Ja*, elle est toujours avec lui. D'après elle, c'est l'homme de sa vie.

– Ce gars n'a jamais été ton ami, Frank, me dit-il d'un ton solennel. Un véritable ami ne t'aurait jamais fait une chose pareille.

– Je m'en rends compte, Laurence.

– Jamais je ne ferais cela. Jamais, jamais, jamais.

– C'est bien.

– Moi, j'arrêterais de porter cette alliance, dit-il. Pourquoi tu la gardes, Frank ?

– Je ne sais pas. L'habitude.

Mais l'éclat doré autour de mon doigt était plus un symbole qu'une habitude. Je fermai le poing pour le dissimuler.

En disant « Jamais je ne te ferais cela », il me signifiait qu'il était un véritable ami pour moi. Je crois qu'il le pensait pratiquement depuis le premier jour. Ce sentiment n'était pas réciproque. Pour moi, c'était un camarade de chambre, une présence temporaire qui bousculait ma vie.

Je passais beaucoup de temps avec Laurence. En un sens, je n'avais pas le choix : dans la chambre, au travail, il m'avait été assigné. Pourtant, en dehors de ça, nous commençâmes à nous tenir compagnie, imperceptiblement. Par exemple, jouer au ping-pong dans la salle de loisirs était devenu une sorte de rituel. J'allais rarement dans cette pièce avant ; elle était triste. Mais il n'était pas désagréable de frapper dans la balle en plastique, de part et d'autre de la table, en parlant de tout et de rien. Pour l'essentiel, nos conversations étaient sans objet réel, de ces bavardages qui aident à tuer le temps.

Nous fîmes également quelques randonnées. Je n'avais plus entrepris de grande marche depuis des années ; nous avons recommencé ensemble. Je ne sais plus qui, de lui ou de moi, en a eu l'idée en premier mais il s'était procuré une grande carte des environs. En général, elle était fixée au mur, au-dessus de son lit, et il la décrochait au moins une fois par semaine pour élaborer un nouveau circuit à essayer pendant notre jour de congé. Nous partions avec de la bière et des sandwichs à la découverte des différentes pistes du bush. Je lui montrais aussi quelques-unes de mes anciennes promenades, dont je me souvenais encore, au milieu de paysages impressionnants. Ces excursions étaient en général plaisantes et paisibles, bien qu'il ait toujours semblé peu à l'aise dans cet environnement sauvage.

Nous descendions aussi de plus en plus fréquemment en ville, le soir, chez Mama Mthembu. Pour moi, ce n'était pas nouveau, évidemment ; j'y allais souvent. D'habitude, je passais en fin d'après-midi ; je préférais éviter la foule et l'atmosphère enfumée de la nuit. Le personnel de l'hôpital qui n'était pas de garde se retrouvait généralement là au complet et l'inévitable intimité engendrée par les verres d'alcool pouvait devenir oppressante. Y entraîner Laurence rendait la chose plus attrayante.

Chez Mama Mthembu, à l'heure de la fermeture, la hiérarchie et la division du travail n'avaient plus cours. Themba et Julius, les deux employés des cuisines, se retrouvaient au même niveau que Jorge et Claudia. Il arrivait même que le docteur Ngema se joigne à l'assistance dans une égalité embarrassée. Sans que je sois jamais complètement décontracté, une partie de la sérénité affichée par Laurence dans ces situations se reportait sur moi, me rendait moins froid, moins distant.

Un matin, après une de ces virées nocturnes, je me retrouvai seul avec Jorge à la table du petit déjeuner. Il me dit, en tétant avec bienveillance sa moustache :

– Ce jeune homme. Ton ami. C'est un bon jeune homme.

– Qui ? Laurence ? Ce n'est pas un ami.

– Non ? Vous êtes toujours ensemble.

– Le docteur Ngema nous a mis dans la même chambre. Mais je ne le connais pas bien.

– C'est un bon jeune homme.

– Je crois. Ce n'est pas un ami, pas encore.

Curieusement, j'éprouvais un malaise à être lié à Laurence de cette façon. Le mot « ami » avait une certaine connotation pour moi. Mike avait été mon ami avant de partir avec ma femme. Depuis lors, je ne m'étais plus fait d'amis. Je ne voulais pas qu'on s'approche trop de moi.

Le mot continua à faire son chemin. Ton ami a fait ceci. Ton ami était là. Comment va ton ami ? À force de l'entendre, le terme prenait une sorte de patine, sonnait moins faux.

– Vous avez pu avoir cette conversation avec notre nouveau compagnon ? me demanda un jour le docteur Ngema tandis que nous rentrions ensemble vers le bloc résidentiel.

– Quelle conversation ?

Le fait que je ne sache pas de quoi elle parlait montrait sans doute combien les choses avaient changé.

– Vous savez, il était question de lui faire faire le tour de l'hôpital… de discuter de l'éventualité de son transfert vers un autre endroit.

– Oh, oui. Oui, je lui ai tout montré. Il se plaît ici. Il ne veut pas partir.

– Eh bien, c'est une première, dit-elle.

Nos pas s'accordaient dans les crissements du gravier. Après quelques instants, elle ajouta :

– Vous pourriez peut-être insister un peu.

– À vrai dire, il ne me dérange pas.

– Vraiment ? Je peux donc en conclure que vous êtes content de partager votre chambre ?

C'était une autre question, sans rapport avec ce que nous venions de dire.

– Non, dis-je. Ruth, s'il y avait une possibilité de… La chambre des Santander, ou une autre, j'apprécierais.

– J'y penserai, dit-elle.

À dater de cet instant, j'ai su que rien ne changerait : Laurence resterait dans ma chambre.

– Ils ne partent pas, m'annonça-t-il un jour que nous étions de garde ensemble.

– Qui ?

– Les Santander. Tu m'avais dit qu'ils allaient partir et que j'aurais leur chambre. Je leur ai parlé hier, ils m'ont dit qu'ils restaient.

Le hasard ayant voulu que j'entende une partie de cette conversation, je savais qu'il ne possédait pas toutes les données de la situation. Il était avec eux dans la salle de loisirs, plongé dans une discussion très sérieuse, et je m'étais attardé à table, un peu à l'écart, pour les écouter.

— Pourquoi l'Afrique du Sud ? demandait Laurence.

— Une opportunité, dit Jorge.

— Oui, c'était vraiment une opportunité. La possibilité de changer quelque chose. Dans le monde tel qu'il est aujourd'hui, les occasions sont rares.

— Oui, exactement, reprit Jorge d'un ton solennel.

— Un meilleur salaire, dit Claudia. Un bon logement.

— Oui, aussi. Mais je ne parle pas de ça.

— De quoi tu parles ?

— Je crois que ce n'est que le début. Pour ce pays. L'histoire ancienne ne compte pas. Tout commence maintenant. On repart à zéro. Et je veux être ici. Je ne veux pas être où que ce soit ailleurs dans le monde, dans des endroits où ça n'a pas d'importance, que j'y sois ou pas. Ici, c'est important que j'y sois.

Les Santander étaient un couple entre deux âges venu de La Havane. Ils avaient été envoyés quelques années auparavant et faisaient partie d'un important groupe de médecins importés par le Département de la Santé afin de pallier le manque d'effectifs. Il était rond et jovial, d'une intelligence géniale. Sa femme, plus âgée et bien conservée, était légèrement hystérique et parlait un anglais approximatif. Depuis notre brève liaison, l'année d'avant, Claudia me vouait une rancœur tenace. De leur chambre située à côté de la mienne me parvenaient de plus en plus souvent, la nuit, les échos stridents de leurs disputes en espagnol. Elle ne voulait pas rester, chacun le savait, elle voulait rentrer dans son pays alors que lui voulait bâtir l'avenir ici. Leur mariage prenait l'eau de toute part.

– Le pays a besoin, disait Laurence avec ferveur, de gens comme vous. De gens engagés, qui veulent que les choses changent.

– Oui, oui, disait Jorge.

– Ils nous ont parlé d'un bon logement, d'une bonne voiture, disait Claudia, pas de Soweto. Oh ! Soweto !

Je pouvais imaginer son frisson d'horreur.

– Ça ne me dérangerait pas d'être à Soweto, disait Laurence. Mais c'est mieux ici. C'est vraiment un endroit perdu.

Je savais vaguement ce que les Santander avaient vécu à Soweto. Claudia m'en avait parlé à l'époque de notre liaison. C'était leur premier poste dans le pays, ils avaient voulu y aller. Peut-être pour que quelque chose change, comme disait Laurence. Mais ils n'avaient pu supporter les situations auxquelles ils étaient confrontés, là-bas. Ils n'avaient jamais connu la violence à un stade terminal. Le samedi soir, dans la salle des urgences, ce n'étaient que blessures au couteau ou par balle, mutilations, chairs tailladées à coups de tesson de bouteille. « On aurait dit la guerre, gémissait Claudia, une énorme guerre, partout à l'extérieur ! » Venues s'ajouter au nombre habituel de malades et d'accidentés auquel l'hôpital arrivait à peine à faire face. Au bout de six mois, ils avaient demandé leur transfert et atterri ici.

Ma liaison avec Claudia découlait, en quelque sorte, de son passage à Soweto. Quelques semaines après son arrivée, une femme avait été amenée en urgence, en pleine nuit. Dans son village, une foule furieuse s'était déchaînée contre elle, l'avait attaquée et lynchée puis avait tenté de la brûler vive, croyant que c'était une sorcière. Elle était dans un état critique. Sa mort ne faisait aucun doute et pourtant nous nous agitions comme des fous pour tenter l'impossible. Elle finit par mourir. Une ambulance venue de l'hôpital voisin avait emporté son corps et aux petites heures de la nuit, alors que la tension était retombée, je m'étais trouvé seul avec Claudia dans le bureau. Son masque de neutralité s'était brusquement déchiré et effondré. Elle s'était mise à pleurer, secouée par un tremblement incontrôlable, et la pièce s'était remplie de l'horreur, refoulée au fil des mois, de ce qu'elle avait vu dans le pays pour la première fois de sa vie. « Pourquoi les gens font-ils cela, disait-elle à travers ses larmes, pourquoi, pourquoi ? »

J'avais passé mon bras autour d'elle, cherchant à la réconforter, tandis qu'elle sanglotait comme un enfant. Je sentais d'où cela venait. Une limite avait été franchie dans le pays, quelque chose s'était cassé net. La rage l'avait emporté, avait rompu les amarres. Je l'avais serrée dans mes bras pour la consoler, la consolation avait pris une autre forme. C'était très puissant – un désir alimenté par le chagrin. Nous étions pareils à des animaux, cette première nuit. Ensuite, pendant des semaines, nous multipliâmes les rencontres dans les salles désertes ou les recoins sombres des couloirs. J'avais depuis longtemps cessé de voir Maria et, dans cette période vide, nos étreintes comblaient un manque. Je n'avais rien à perdre. Contrairement à elle car nous prenions des risques insensés. Nous courions le danger d'être découverts à tout moment.

Nous évitâmes juste de nous retrouver dans ma chambre que seul un mur séparait de son mari.

Je pense qu'il savait. À dater de cette époque, il y a toujours eu un certain malaise entre nous, peut-être uniquement dû à ma culpabilité, d'ailleurs. Ce n'est que plus tard, grâce à la présence de Laurence, que ce malaise s'est en partie dissipé.

— Mais si, ils partent, lui dis-je. C'est décidé. La seule question est de savoir quand.

— Je ne crois pas. Ils sont adorables, très engagés, tous les deux.

— Engagés dans quoi ?

— Tu sais bien. Le pays. L'avenir. Tout ça.

— Arrête, dis-je. Ils n'en parlent à personne mais c'est un secret de polichinelle. Tout le monde est au courant.

— Jorge dit que Cuba est un trou paumé.

— *Ja*, c'est vrai, dis-je. C'est pas simple. Jorge ne veut pas rentrer, mais elle veut. Ils n'arrêtent pas de se bagarrer à propos de ça.

— Et tu considères qu'elle va gagner.

— Elle va gagner.

— C'est des conneries, dit-il. D'ailleurs, ils ne se disputent pas.

— Tu ne les as jamais entendus, de l'autre côté du mur ?

— Non. Jamais.

— Enfin, dis-je agacé, ce n'est pas dans la chambre des Santander que tu vas t'installer. C'est dans celle de Tehogo.

— La chambre de Tehogo ?

Je ne sais pas ce qui m'a pris de dire cela. Pourtant, je l'ai dit et, à peine sortis, les mots avaient la véhémence de la vérité.

– Oui, dis-je. La chambre de Tehogo. Il n'est pas censé être là, de toute façon. Il va bientôt déménager.

– Pour aller où ?

– Je n'en sais rien, dis-je. Ça n'a pas d'importance.

La chambre de Tehogo – la dernière sur la gauche, dans notre couloir – était destinée à un médecin. Tehogo n'était pas médecin. Il était infirmier. À dire vrai, en termes de diplômes, il n'était même pas infirmier. Toutefois, il accomplissait le travail d'un infirmier à l'hôpital.

Il était ici depuis plus longtemps que moi. À mon arrivée, il occupait déjà la chambre. Je n'ai jamais su le fin mot de l'histoire de son installation dans cette pièce mais c'était lié aux troubles qui avaient secoué le homeland quelques années auparavant. Une chose était sûre, sa famille – son père, sa mère, son frère et son oncle – avait été tuée lors d'un de ces épisodes de violence politique. Il existait, semblait-il, une vague parenté, par alliance, avec le Général et ces tueries résultaient d'une vengeance.

Tout cela était assez obscur. Unique élément tangible, la personne de Tehogo, seul et orphelin, sans lieu où aller. À l'époque, il travaillait à l'hôpital en tant qu'infirmier alors qu'il échouait régulièrement aux examens ; on l'avait gardé faute d'autre candidat. Il vivait à l'extérieur, avec sa famille, et venait travailler tous les jours. Il n'avait échappé à la mort que parce qu'il était dans l'hôpital. Maintenant, il ne pouvait plus retourner chez lui.

Le docteur Ngema lui avait donné la chambre. Une mesure temporaire, apparemment, jusqu'à ce qu'il reprenne pied. Il était resté. Les autres infirmiers étaient partis et il les avait progressivement remplacés dans leurs fonctions, étant désormais le seul à pouvoir ou vouloir accomplir les innombrables petits travaux indispensables – rouler les brancards, laver et nourrir les patients, nettoyer le sol, réceptionner les messages. Même lorsqu'il n'était pas de garde, il était en permanence sur la brèche et il était donc logique qu'il habite sur place. Il se pourrait cependant qu'il y ait eu autre chose. Ce n'était qu'une rumeur, mais certains prétendaient que le Général en personne était intervenu auprès du docteur Ngema pour qu'elle autorise son jeune parent à rester.

Cela m'avait été raconté par l'autre médecin blanc, encore en poste ici il y a quelques années. Il était aigri et las, et je n'attachais guère d'importance à ses racontars. Cependant, à l'évidence, le docteur Ngema portait à Tehogo un intérêt qui dépassait le cadre de l'activité professionnelle. Elle était attentive, pleine de sollicitude. Durant les réunions, elle s'efforçait de le faire participer aux discussions, elle l'appelait dans son bureau pour bavarder avec lui et elle m'avait un jour demandé si je voulais bien veiller sur lui.

Ce que j'avais essayé de faire. Se rapprocher de Tehogo n'était pas facile. Il était revêche et renfrogné, perpétuellement replié dans une intimité obscure. À l'exception d'un jeune homme extérieur à l'hôpital qui traînait fréquemment dans les parages, il semblait n'avoir aucun ami. J'essayais d'être indulgent ; la perte terrible de sa famille l'avait certainement endurci. En vérité, il n'avait pas l'air d'une victime. Il était jeune et beau, toujours tiré à quatre épingles dans des vêtements neufs. Il portait un anneau à une oreille et une chaîne en argent autour du cou. De l'argent lui parvenait, venu d'on ne savait où, dont personne ne parlait. Nous devions le considérer comme le pauvre

Tehogo, meurtri et dépossédé, et curieusement la puissance de sa faiblesse était immense. Il ne parlait pas, sauf à marmonner quelques syllabes, et encore, toujours en réponse à l'une ou l'autre question. Jamais il ne se soucia le moins du monde de ma vie et il était par conséquent difficile de s'intéresser à la sienne. Depuis longtemps, il n'était qu'une présence silencieuse à l'extrémité du couloir sans lumière, quelqu'un qui assistait aux réunions sans rien dire. Je n'y faisais presque plus attention.

Avec l'arrivée de Laurence Waters, je repris conscience de l'existence de Tehogo. Il occupait la chambre d'un médecin dans laquelle Laurence aurait dû se trouver et donc il attirait l'attention. Toutefois, ce que j'avais dit à Laurence était faux : Tehogo n'allait pas déménager. Il n'avait nulle part où aller.

— Ah bon, fit Laurence. C'est quelqu'un de bizarre, ce Tehogo. J'essaie de lui parler mais il est très…

— Je vois ce que tu veux dire.

Après un moment, il reprit un peu tristement :

— Je suis content de loger avec toi, Frank.

— C'est vrai ?

J'étais ennuyé de m'être énervé et d'avoir menti.

— Bah, il ne partira peut-être pas.

— Tu crois ?

— C'est possible. On restera peut-être tous là où on est.

6

Laurence ne pouvait jamais demeurer longtemps inactif. Une énergie inépuisable et trépidante le dévorait. S'il ne faisait pas les cent pas en fumant, il arpentait les bâtiments, regardait partout, posait des questions. Pourquoi les murs étaient-ils peints en rose ? Pourquoi la nourriture était-elle exécrable ? Pourquoi n'utilisait-on pas tout cet espace perdu ? Pourquoi, pourquoi, pourquoi – cela avait quelque chose d'infantile. Mais il possédait aussi une capacité d'adulte à vouloir que les choses changent.

En revenant vers la chambre, un après-midi, je le trouvai en train de s'acharner sur la porte de sortie, au fond du couloir.

– Qu'est-ce que tu fais ?

– Viens m'aider.

Il tentait de fixer une chaîne et un cadenas à la poignée. Il n'y avait pas d'attache dans le mur et il devait enrouler une des extrémités de la chaîne au support métallique d'un extincteur autrefois volé, voire jamais livré.

– Ce serait plus simple de se procurer une clé de la porte, lui dis-je.

– Il n'y en a pas. J'ai cherché. Le docteur Ngema m'a laissé essayer les clés de rechange.

— Pourquoi tu tiens tellement à ce que ce soit fermé ?

Il plissa les yeux d'étonnement.

— Tu le sais bien. Tu as vu ce qui se passe, ici.

Il m'a fallu réfléchir un moment avant de comprendre qu'il faisait allusion à ce qui avait été arraché et volé dans l'aile abandonnée.

— C'est loin, tout ça. Et puis, qu'est-ce que ça peut faire ?

— Qu'est-ce que ça peut faire ?

Il eut un sourire hésitant.

— Tu plaisantes ? Ces choses-là ne doivent pas arriver.

— Laurence. Laurence.

— Quoi ?

Je l'aidai à attacher la chaîne au support scellé dans le mur et à fermer le cadenas. On voyait au premier coup d'œil qu'il était trop bon marché pour être solide. Il céderait au premier souffle.

Voilà le genre de choses qu'il faisait. Quelques jours plus tard, je l'ai découvert en train de faucher l'herbe du terre-plein entre notre chambre et le bâtiment principal. Personne n'avait touché à cette herbe durant les nombreuses années que j'avais passées ici. Il n'y avait pas de tondeuse et il s'était procuré je ne sais où une vieille faux rouillée. Le visage écarlate et ruisselant, il n'avançait pas vite. Sur le pas de la porte arrière de la salle de loisirs, Themba et Julius, les cuisiniers, l'observaient, amusés et surpris.

— Il est fou, votre ami, me dit Julius.

— Ce sera tout de même mieux après.

Je supposais que c'était le but. Quand les amas d'herbe épaisse et brune eurent disparu derrière la cuisine, là où Laurence avait commencé un tas de compost, le terre-plein entre les deux bâtiments était propre et dégagé. Et c'était mieux.

Pourtant Laurence, encore essoufflé, semblait contrarié.

– Qu'est-ce qui se passe ? Tu as fait un sacré travail.

– Oui, je sais.

– Tu n'es pas satisfait ?

– Si, si, dit-il. Je suis content.

Je ne lui trouvais pas un air content.

Le lendemain, il grimpait sur le toit et arrachait les plantes et les herbes qui avaient poussé là. Au milieu de la journée, sous le soleil brûlant, sa haute silhouette s'étirait et s'étiolait dans une solitude laborieuse. Je lui portai une bouteille d'eau et restai avec lui pendant qu'il buvait.

– Personne ne va te remercier d'avoir fait ça.

– Me remercier ? Qu'est-ce que tu veux dire ?

– Je ne comprends pas pourquoi tu t'occupes de ça.

– Il fallait nettoyer ce toit.

– Sans doute. Mais c'est inutile. Tout va repousser.

– Ce n'est pas grave, dit-il l'air têtu. C'est mieux quand c'est fait.

Le toit était propre, lui aussi, comme le terre-plein en dessous. De l'endroit où nous étions, nous dominions la ville et la houle des collines alentour, et à la vue de cette immensité aérienne je me sentis comblé et satisfait comme si j'avais, moi aussi, travaillé toute la journée.

Évidemment, j'avais raison : les plantes et les herbes n'ont pas tardé à repousser et personne n'a réagi à mesure que croissaient lentement les millimètres verts. Personne n'a plus rien coupé. L'attention de Laurence s'était déplacée ailleurs, vers un nouveau projet. Et quand je vis, un ou deux mois plus tard, que quelqu'un avait forcé le cadenas bon marché qui fermait la porte à l'extrémité du couloir, je n'y fis aucune allusion.

J'avais mes propres préoccupations. Ma vie n'était pas uniquement centrée sur Laurence ou l'hôpital : d'autres activités m'entraînaient au loin, me divertissaient. La nuit, je retournais voir Maria. Pas chaque nuit, pas de la même manière. Une ou deux fois par semaine, obéissant à une impulsion fiévreuse, je me précipitais dans ma voiture.

Nous faisions l'amour autrement. C'était devenu rude, brutal, avide. Seul comptait peut-être le sexe, maintenant, l'amour avait disparu. J'étais dur avec elle. Pas violent mais avec une tendance à la violence qui déséquilibrait tout. J'étais toujours sur elle, je la maintenais au sol. Elle répondait par un acquiescement passif. Nous ne nous touchions presque plus. Nous n'essayions même pas de parler. Comme si je ne parvenais pas à obtenir ce que je voulais et ne m'en approchais qu'en frappant, encore et toujours, à la lourde porte en bois.

Je la payais chaque fois. C'était vraiment ça : un paiement. Nos rencontres étaient des transactions avec des limites pratiques. Nous ne parlions que pour organiser les choses. Une ou deux fois, elle m'avertit de ne pas venir certaines nuits. J'acceptai ces restrictions sans les laisser générer le moindre sentiment personnel. L'autre homme n'existait pas, réduit à un interdit sur mes visites ou à un symbole en forme de voiture blanche devant la baraque.

Une fois seulement, la distance s'était atténuée. Elle avait demandé :

– Où est l'homme… ton ami ?

Il m'avait fallu un moment pour comprendre.

– Laurence ? Ce n'est pas mon ami.

– Non ?

– Non. Enfin, peut-être bien.

Je la regardais enfiler sa robe par-dessus sa tête, glisser les bras dans les manches déchirées.

– Pourquoi tu parles de lui ?

Elle fit un geste.

– Son visage… ?

– Oui.

– Qu'est-ce qu'il a, son visage ?

Elle allait répondre mais elle secoua la tête. Nos regards se croisèrent, c'était fini : le mur, l'énorme distance était revenue.

– Tu viens vendredi ? dit-elle.

Ainsi, il était là, lui aussi, troublante silhouette maniaque, incertaine et fugitive, sur la paroi en bois de la baraque. J'avais du mal à imaginer que ma vie était entièrement exempte de Laurence Waters deux mois auparavant.

Je ne lui parlais pas de Maria, j'ignore pourquoi. Tout s'était joué lors de ce premier moment de crainte, lorsqu'il m'avait demandé : « Tu as couché avec cette femme ? » J'avais répondu aussitôt par un mensonge ; ce n'était pas une stratégie. D'instinct, je voyais dans son intuition une menace ; j'avais menti pour me défendre. Je devais continuer à mentir.

Je mentais alors qu'il savait exactement où je me rendais. Le fait qu'il n'ait jamais demandé où j'allais prouvait qu'il savait. Il me regardait prendre une douche, me changer et disparaître dans la nuit au volant de ma voiture sans dire un mot. Parfois, il ne dormait pas encore lorsque je rentrais. Les autres membres du personnel de l'hôpital assistaient depuis longtemps à mes escapades nocturnes et n'avaient jamais posé la moindre question non plus. Eux pouvaient seulement deviner ; lui savait.

Ainsi, même cette petite partie de ma vie – que je payais comptant afin de la maintenir à l'écart du reste – était désormais reliée à Laurence.

À mesure que passaient les semaines, et alors que nous commencions à nous habituer – ou nous résigner – l'un à l'autre, me revenait sans cesse cette question qu'il m'avait posée à son arrivée. *À quel moment as-tu su que tu voulais devenir médecin ?* J'observais Laurence tandis qu'il soignait l'un ou l'autre patient échoué chez nous. Qu'ils soient jeunes ou vieux, légèrement souffrants ou gravement atteints, ne comptait pas ; il demeurait identique pour tous : sérieux, concerné, dévoué. Apparemment, tous avaient la même importance, à ses yeux.

Ça me dérangeait. Ça me dérangeait de ne pas être aussi impliqué. Et ce n'était pas faute d'essayer. Je soignais chacun avec une compétence professionnelle détachée et je passais à autre chose si plus rien n'était possible. L'engagement et les efforts de Laurence révélaient une lacune chez moi.

Je cherchais dans mon existence un moment de vérité tel que le sien. Il me semblait qu'à une certaine époque, quelque part, quelque chose s'était produit qui m'avait déterminé. Mais rien ne me revenait à l'esprit.

Et j'ai fini par trouver. Un beau jour, dans un éclair de conscience. Que j'aurais aimé pouvoir oublier aussitôt.

Pour moi, ce moment se situait treize ans auparavant. Dans nos conversations de tous les jours, j'avais parfois eu l'occasion d'évoquer avec Laurence mon séjour à l'armée. Il m'avait aussi posé quelques questions, avec la curiosité ingénue d'un jeune homme. Chaque fois que nous abordions ce sujet, je sentais qu'il manquait de signification réelle pour lui. Surtout à sa façon de prononcer le mot « armée ». En l'entendant, je comprenais qu'il n'avait aucune idée de ce que c'était, de ce qui s'y passait. La conscription avait fait partie intégrante de la vie de chaque homme blanc pendant quarante ans avant de disparaître du jour au lendemain, balayée par le vote d'une nouvelle loi. Pour ce Blanc d'une autre génération que moi, cette partie de ma vie appartenait à l'Histoire.

Il se fit qu'un jour Laurence et moi étions à nouveau en train de conduire un patient gravement atteint dans l'autre hôpital. La route secondaire reliant la ville à la route principale zigzaguait parmi les collines, montait et descendait au gré du relief accidenté, et au détour d'un virage, on apercevait les restes de l'ancien camp militaire du Général. À l'époque, l'endroit avait dû être une importante base militaire : des rangées successives de tentes et de camions, les allées et venues incessantes d'une kyrielle d'hommes. Les troubles étaient fréquents et la frontière peu sûre, en ce temps-là. L'ensemble était à l'abandon, maintenant – un amas de tentes miteuses derrière un embrouillamini de barbelés. Une piste de terre y conduisait, envahie par les herbes, et je n'avais jamais eu la curiosité de la suivre. Cependant, je ralentissais toujours à cet endroit précis, pour jeter un coup d'œil. Je ne sais ce qui m'attirait ; en réalité, il n'y avait rien à voir. Pourtant, ce jour-là, il me semblait avoir aperçu une

silhouette humaine se déplacer entre les tentes. Une forme lointaine, minuscule, brusquement disparue ; je doutai immédiatement d'avoir vu quelque chose. Je continuai malgré tout à
observer les alentours.

– Qu'est-ce qui se passe, demanda Laurence. Qu'y a-t-il ?

– Rien, dis-je. Plus rien.

Je n'avais pas envie de reparler du Général à quelqu'un qui
ne s'y intéressait pas.

– C'est quoi, cet endroit ?

– Un ancien camp militaire.

– J'aurais bien aimé faire l'armée. J'ai l'impression d'avoir
raté une expérience formatrice.

– Tu ne sais pas de quoi tu parles.

Il me lança un regard de côté, aigu et surpris.

– Je croyais que tu m'avais dit que ce n'était pas si terrible.
Tu t'étais plutôt ennuyé, d'après toi.

– C'était ennuyeux.

– Mais ?

– Je ne veux pas en parler.

Il n'insista pas mais cette conversation avait fait resurgir
quelque chose en moi. Cette nuit-là, je restai un long moment
éveillé, pensif. Mon expérience à l'armée me venait rarement à
l'esprit : c'était plus un vide, un pan mort de ma mémoire. Seul
un incident, une brève rencontre révélatrice, me rongeait de
l'intérieur.

On m'avait envoyé à la frontière angolaise pour deux ans.
Ce que j'avais dit à Laurence était vrai : pour l'essentiel, les
mois s'étaient succédé dans une banalité répétée – du temps
perdu. Je passais de camp en camp. Médecin depuis peu, j'avais

été promu au grade de lieutenant. Nous étions assez nombreux et j'évitais de me faire remarquer. Se faire oublier semblait être une bonne politique.

Durant cette période, je n'ai été qu'une seule fois sur le point de passer à l'action physique. On m'avait affecté à un petit camp perdu en plein bush. Jusque-là, mon expérience de l'armée s'était bornée à des occupations internes insignifiantes. J'avais affaire à des blessés accidentels, des gens souffrant d'insolation, de fièvre, de fractures. Des calamités courantes. Là-bas, les blessures étaient d'une autre nature. Ce camp abritait une activité intense : des patrouilles sortaient constamment à la recherche de patrouilles ennemies à anéantir. Pour la première fois, je traitais des gens qui combattaient à la guerre. Je voyais des choses que je n'avais jamais vues auparavant. Des blessures occasionnées par des grenades, des balles, des mines ; les dommages intentionnels que les hommes s'infligent volontairement les uns aux autres. J'en garde l'impression prédominante de l'éclat écarlate de la viande saignante, sorte de fruit resplendissant de maturité dans la grisaille poussiéreuse du veld.

Nous n'étions que deux lieutenants dans le petit hôpital de campagne – Mike et moi. C'est là que j'avais rencontré celui qui allait devenir un ami avant de me prendre ma femme. À cette époque, il était de bonne compagnie, rien de plus. Nous étions sous les ordres d'un gros capitaine, le médecin chef. L'officier responsable du camp était le commandant Moller.

Avant cette fameuse nuit, je ne l'avais jamais approché d'assez près pour bien le voir. C'était plutôt une silhouette, généralement lointaine, en train de monter dans des hélicoptères ou d'en descendre, d'inspecter des choses, de donner des ordres. Mince, ramassé et puissant, il sécrétait une forme de danger. Nous avions peur de lui et nous faisions des détours pour éviter de le rencontrer. Sa réputation dépassait largement sa présence physique – à cause d'une dévotion aveugle et sacrée à sa fonction.

Cette fonction consistait à tuer des soldats ennemis, unique raison d'être du camp. Et l'unique raison de notre présence, même si nous n'avions pas à tuer qui que ce fût. Non, nous étions là pour réparer ceux qui tuaient et leur permettre de retourner tuer. En cas d'échec, nos patients étaient expédiés dans l'autre direction, vers le sud, dans des sacs mortuaires.

Je n'avais pas d'états d'âme par rapport à mon travail. En vérité, je n'y pensais guère. J'étais trop jeune, sans doute trop limité dans ma compréhension ; je voyais uniquement l'immédiateté de la tâche. Recoudre la blessure. Retirer la balle. Sauver la vie. J'agissais en médecin, dans le champ de mes compétences. Face à un soldat ennemi blessé, j'aurais réagi avec le même petit intérêt myope et amoral.

À l'exception de cette nuit-là.

Notre chef, le capitaine, était parfois appelé à des heures improbables pour se rendre dans le quartier cellulaire, au centre du camp. Ces convocations intervenaient après l'arrivée de fournées de prisonniers de la Swapo et nous savions qu'elles avaient un lien les unes avec les autres. Nous comprenions aussi qu'il valait mieux éviter de poser trop de questions. Il régnait une grande activité autour de ces bâtiments bas en brique – seules structures en dur de tout le camp –, activité rendue obscure par un brouillard de silence et de secret. À son retour le capitaine – un homme d'ordinaire jovial et bienveillant – semblait toujours inquiet et taciturne.

Une nuit, on vint chercher le capitaine alors qu'il était absent. J'ai oublié ce qui s'était passé exactement, il était ailleurs, dans un autre camp. Il n'y avait que Mike et moi, en train de partager une bouteille de whisky et de faire des plans pour monter ensemble un cabinet de consultations après nos deux années d'armée.

Le caporal venu chercher le capitaine était reparti. Dix minutes plus tard, il revenait.

– Le commandant dit qu'un de vous deux doit venir.

Nous nous regardâmes. Aucun de nous ne voulait y aller.

– Tu y vas.

– Non, toi.

– Tu parles mieux l'afrikaans.

Deux minutes plus tard, je suivais le dos marron du caporal dans la nuit étouffante, en direction des cellules. Je redoutais le commandant, ce qu'il pouvait me faire ; cette peur éclipsait le fait que la raison mal définie pour laquelle on m'appelait risquait de me faire souffrir bien plus profondément.

Le dos marron me conduisit dans une petite pièce aux murs de brique et au sol en béton. Aucune fenêtre. Un plafond bas en zinc où pend une ampoule au bout d'un fil électrique. Il y a là quatre soldats, dont deux officiers. L'un d'eux est le commandant Moller. Il a son pantalon militaire marron, ses bottillons, un tee-shirt blanc. Assis sur une chaise, son attitude a quelque chose d'informel, de décontracté.

Un Noir est étendu par terre, nu. Il est couvert de sang, inerte, à l'exception de sa cage thoracique qui s'emplit et se vide douloureusement à chaque respiration. À la périphérie de ma vision, je distingue des cravaches et d'autres objets, des formes étranges que je ne reconnais pas. Pourtant, je connais cette scène même si je n'en ai jamais fait partie ; c'est un tableau ancien dans lequel ma place est évidente dès le début.

— *Naand, Lieutenant*, dit le commandant. *Jammer om te steur.*[1]

Jamais je n'ai été aussi près de lui. Je lève la tête pour la première fois, je le dévisage. Il a les yeux bleus, un regard mort. Il ne manque pas de charme avec son visage symétrique et froid d'idole religieuse, ses cheveux châtains coupés au ras des aplats précis de son crâne. Pourtant, le trait le plus évident de son visage n'est pas la netteté. Le règlement militaire stipule que l'on doit se raser suivant une ligne allant de l'oreille à l'arête du nez et il a suivi la prescription à la lettre : en haut de chaque pommette persiste une petite touffe de poils.

Quel genre d'homme est-ce ?

— *Is jy Engels of Afrikaans ?*[2] demande-t-il.

— Anglais, mon commandant.

Il passe à l'anglais, sans le moindre accent, sur un ton aimable et paisible.

— On a besoin d'un coup de main, lieutenant. Tu es médecin, *né* ?

— Oui, mon commandant.

---

1. « Salut lieutenant. Désolé pour le dérangement. » (*Toutes les notes sont de la traductrice.*)
2. « Tu parles anglais ou afrikaans ? »

— Tu vois, on est en train de faire un petit interrogatoire. Mais notre ami n'est pas très bien. Il dit qu'il a du mal à respirer. Tu peux voir ce qu'il en est ?

J'approche du corps étendu sur le sol. Un coup d'œil suffit pour voir qu'il est salement blessé. Son visage et son torse tuméfiés portent des traces de coups violents, son cou est comme lacéré par endroits. Sa respiration est très audible, un fin sifflement aigu.

— Mon commandant, dis-je, il a l'air mal en point.

— OK, fait la voix paisible derrière moi. Mais est-ce qu'il fait semblant ?

— Semblant ?

La question est absurde. L'homme a besoin d'une hospitalisation, de points de suture, de désinfectant, de soins.

— Je ne comprends pas, dis-je.

D'un ton patient, le commandant dit :

— Il respire, lieutenant. Où est le problème ?

Il est difficile d'isoler sa respiration de ses autres souffrances mais lorsque j'y parviens j'entends immédiatement la cause du problème.

— Il a une crise d'asthme, mon commandant, il ne fait pas semblant.

— Tu peux faire quelque chose ?

— Je vais essayer. Il me faudrait de l'eau.

— *Gee vir hom water daar.*[1]

Quelqu'un m'apporte un seau à moitié rempli d'une eau couverte d'une écume teintée de sang. J'agis maintenant dans

1. « Donnez-lui de l'eau. »

des ténèbres, je m'observe à travers un long tunnel en train d'asperger son visage avec de l'eau, de nettoyer ses plaies, d'essuyer la crasse et le sang. Ça n'aura aucun effet sur son asthme, pourtant mon instinct me pousse à le laver. Il s'agite, il gémit, le sifflement de ses poumons persiste. J'ouvre ma trousse et j'en sors un inhalateur.

Au bout de quelques minutes, il respire mieux.

— *Daarsy*[1], dit quelqu'un.

— *Uitstekend*[2], dit le commandant. Maintenant, j'ai quelque chose à te demander, lieutenant. À ton avis, en tant que médecin, il peut tenir encore combien de temps ?

Je me relève et me retourne sans oser croiser son regard. Je frissonne dans la chaleur de l'air.

— Mon commandant, dis-je, il a besoin d'être soigné.

— Ce n'est pas ce que je t'ai demandé, coupe-t-il sèchement. Je te demande : est-ce qu'il peut encore supporter l'interrogatoire ?

— Pas très longtemps.

— C'est-à-dire ?

— Mon commandant, si vous me laissez lui administrer les soins appropriés, je pourrai le débarrasser de son asthme. Il lui faut de la cortisone.

Dans l'assistance, quelqu'un répète « soins appropriés » et rit.

— Est-ce qu'il risque de mourir, lieutenant ?

— Ça dépend. S'il est trop malmené…

— Donc, en faisant un peu attention… ?

1. « Ah voilà. »
2. « Épatant. »

Ces questions sont insensées, elles donnent la mesure d'un monde inversé, les médecins sont là pour soigner et guérir, pas pour aider à cette destruction d'énergie et de chair. J'ouvre la bouche pour répondre mais le regard mort du commandant me fixe, m'anéantit.

Un silence, pendant lequel je me rappelle qui je suis, où je suis, ce qu'on attend de moi. L'homme à terre est un ennemi, il ne passera pas la nuit, de toute façon. C'est de moi que je dois prendre soin si je ne veux pas me retrouver à sa place, couché nu sur le dos dans une cellule, non plus médecin mais malade définitivement privé de remède.

– Non, dis-je, il ne va pas mourir tout de suite.

– Merci, lieutenant, conclut-il, à nouveau aimable. Tu salueras le capitaine de ma part quand il rentrera.

Je repars d'un pas pressé dans le noir, loin du bloc cellulaire et du moment de vérité qui vient de s'inscrire au point mort de ma vie.

Mike m'attendait.

– Qu'est-ce qu'il voulait ? Pourquoi il t'a appelé ?

– *Ag*, c'était rien, dis-je. Il avait la migraine.

Ma souffrance a été de courte durée. Dès le lendemain matin je m'exerçais à l'enfouir :

Ça n'aurait rien changé.

Tu n'avais pas le choix.

Tu n'as fait que répondre à la question.

Quand vint le temps de mon transfert dans un autre camp, un endroit sans intérêt où il ne se passait pas grand-chose, j'avais accepté mon échec comme faisant inévitablement partie de ma situation. Je n'y pensais presque plus, sauf à certains moments où il refaisait surface avec une force étrange, anormale.

Comme maintenant. On aurait dit que quelqu'un avait percé du doigt un coin fragile de la toile de mon passé et qu'il regardait par le trou. J'avais la tentation singulière d'y regarder moi aussi et de me voir de l'extérieur. En fait, j'en étais incapable. J'avais trouvé mon grand moment déterminant, je ne voulais pas savoir ce qu'il révélait.

7

Une nuit que je revenais de voir Maria, je le trouvai assis sur son lit, la carte étalée devant lui. Il était très tard et l'hôpital était plongé dans le noir à l'exception de la réception. Laurence était parfaitement éveillé.

– Qu'est-ce que tu fais ?

– Des préparatifs. Qu'est-ce que tu fais demain ?

– Je suis de congé.

– Tu viens te balader avec moi ?

– Pour aller où ?

– C'est juste une petite excursion. Une surprise. Allez, Frank, viens.

– D'accord, dis-je. Pourquoi pas ?

Je pensais qu'il s'agissait d'une de ces randonnées comme nous en avions déjà fait. Là, c'était différent. Dès le début, il parut investi d'une mission. À deux reprises, je m'éveillai pendant la nuit et il étudiait toujours la carte, assis sur son lit. Il me réveilla à huit heures et demie, bouillant d'impatience. Il avait rempli un sac à dos – des sandwichs et de la bière, de la lotion solaire.

L'herbe scintillait de reflets métalliques dans le matin clair. Nous roulions en direction de la frontière. Nous traversions des villages où les gens puisaient de l'eau, se lavaient, préparaient à manger sur des feux. L'agitation matinale se propageait dans l'immensité du paysage. Les arbres et les plantes semblaient s'élancer puissamment vers le haut, se tendre à la verticale contre la force de gravité. De chaque côté de la route partaient des chemins de terre, tantôt un panneau annonçait une ferme, un hameau, tantôt il n'y avait aucune indication. Nous prîmes un de ces chemins sans nom sur la gauche. La voiture avançait péniblement dans les ornières et ses soubresauts semblaient eux aussi participer à la vie, à la vibration de la terre. Un peu plus loin, le chemin suivait la ligne sombre d'une rivière. Puis il se perdait dans un espace couvert de végétation, frais et ombragé. Au-delà d'un écran de bambous, l'eau s'écoulait. C'était peu profond, plutôt un ruisseau dont les arbres alentour tiraient une riche frondaison.

Debout, il scrutait l'eau.

– Je parie qu'il y a des poissons là-dedans, dit-il. Tu pêches, Frank ?

– Autrefois, oui. Maintenant ça m'ennuie.

– Il doit falloir de la patience pour pêcher. Tu crois qu'il y a des crocodiles ?

– C'est trop petit.

Il parut soulagé. Visiblement, il était plus mal à l'aise que d'habitude, dans cet environnement sauvage. Nous longeâmes la rivière, pataugeant dans la boue et les flaques. Je le laissai aller devant, son gros sac à dos s'accrochait aux buissons et par moments il se retournait pour me lancer un regard anxieux. De temps en temps, il s'arrêtait pour consulter la carte même si nous restions le long de l'eau. Je me sentais heureux – plus heureux que je ne l'avais été depuis des mois. J'avais oublié le plaisir d'être loin des habitations, des gens, des objets familiers. Il faisait bon et frais sous les arbres.

Nous devions escalader des rochers à certains endroits, marcher dans l'eau à d'autres. Je ne craignais pas de barboter dans cette eau sombre alors que la peur déformait son visage.

– Tu es certain qu'il n'y a pas de crocodiles ? demanda-t-il à nouveau.

– Presque certain, dis-je.

Il n'y avait évidemment pas de crocodiles et je m'amusais de son embarras. Au bout d'un moment, je marchai en tête, suivi du bruit de succion de ses pieds, aux prises avec la boue, mêlé aux claques qu'il infligeait aux moustiques.

Au bout d'une heure, le cours d'eau s'élargit en un bassin bordé à une extrémité par une falaise d'où jaillissait une cascade. L'endroit avait une beauté primitive. Une fine bruine en suspension sur les rochers mouillait les fougères qui colonisaient les fissures.

Notre arrivée créa un trouble, une longue silhouette reptilienne se jeta dans l'eau.

– Je t'avais dit qu'il y avait des crocodiles !

– Ce n'est pas un crocodile, dis-je, c'est un varan. Regarde, il part !

L'énorme forme ondulante nagea furieusement au pied de la falaise avant de se hisser dans une crevasse et d'escalader la pierre. Il grimpa à la verticale et disparut par-dessus une saillie rocheuse. L'aspect préhistorique de ce lézard couvert d'écailles avait quelque chose de dérangeant ; je ne réussissais pas à le chasser de mon esprit.

Je me suis quand même baigné. Le cadre était idéal pour faire une pause et déjeuner ; le soleil glissait à longs traits entre les arbres, les pierres étaient chaudes et massives. J'ôtai mes vêtements et nageai jusqu'à la surface chuintante et bouillonnante de l'eau. Ce que je ressentais s'apparentait à ce que j'éprouvais pendant mes longues randonnées solitaires dans le bush, peu après mon arrivée à l'hôpital. Évidemment, je n'étais plus seul ; Laurence était là. Mon ami.

Assis un peu en retrait, les jambes repliées sous le menton, il attendait. L'air perplexe et inconsolable. Le chaos de cette nature farouche semblait l'oppresser ; je pense qu'il aurait aimé tout arracher et semer du gazon à la place. Je nageai vers lui et lui fis signe.

– Tu viens ?

Il secoua la tête.

– Je suis bien là.

– Elle est bonne.

– Tu veux une bière ?

– Si on mangeait ?

Je me hissai hors de l'eau et m'allongeai encore dégoulinant sur le rocher.

– On prend un sandwich ?

– Ici ?

– Pourquoi pas ?

– Je ne sais pas, il est encore tôt. Je pensais qu'on pourrait manger un peu plus haut.

– Plus haut ? Qu'est-ce que tu racontes ?

– On n'est pas arrivés, Frank.

– Pas arrivés ?

– C'est une excursion, rappelle-toi.

– *Ja* ?

Il ôta ses lunettes pour les essuyer. Il tourna vers moi son visage lisse et surpris.

– Je crois que je n'ai pas vraiment dit la vérité.

J'attendais la suite.

– Enfin, la vérité n'est pas le mot exact.

– Et quel est le mot exact ?

– Je ne t'ai pas tout expliqué. C'est une randonnée, une excursion, bien sûr.

– Mais ?

– Mais je veux aller quelque part.

– Où ça, Laurence ?

Il remit ses lunettes, prit la carte et vint s'asseoir sur le rocher près de moi. Il avait enlevé sa chemise et son torse pâle et glabre dont on devinait les os avait quelque chose d'artificiel. Dans la chambre, j'étais le timide, le réservé, toujours en train de se changer dans la salle de bains ou à l'abri d'une serviette de toilette tandis qu'il se fichait de ce que je verrais de lui. Ici, les rôles s'étaient en quelque sorte inversés.

– Là, dit-il.

Il montrait un lieu sur la carte et moi, je ne voyais rien. Je distinguais la ligne bleue de la rivière, le reste n'était que reliefs, courbes de niveau et points minuscules désignant des villages sans nom.

– Je veux aller là.

– Mais où ?

– Là. Tu ne vois pas ?

Il martelait la carte du bout arrondi de son doigt.

– Je vois seulement un village, c'est tout.

– Qu'est-ce que tu veux dire, seulement un village ? C'est un village.

– Mais. Mais.

Je scrutais ses traits pour trouver une explication. Depuis le peu de temps que je le connaissais, jamais il n'avait fait de blague et on aurait pu croire que c'était la première.

– Je ne comprends pas, dis-je.

– Quoi ?

– Pourquoi veux-tu aller là ?

– Pour voir.

J'examinai la carte. C'était incompréhensible. Le territoire était constellé de petites marques correspondant à des implantations humaines, certaines assez grandes pour avoir un nom, d'autres pas. Il en avait entouré une, une seule. Je fixai le point en question et, au bout d'un moment, je repérai dans le tracé des différentes courbes une espèce d'image. Je distinguai les falaises de l'endroit où nous étions assis. Plus haut, à deux ou trois kilomètres vers le nord, et légèrement à l'ouest de la rivière, se trouvait son fameux village.

Bien sûr, cela n'avait aucun sens. Nous n'avions pas fait tant de chemin simplement « pour voir ». Il était à la recherche de quelque chose dont il ne voulait pas parler, je l'avais senti dès le début. Et j'avais fait cette excursion par curiosité.

– Tu aurais difficilement pu trouver un coin plus inaccessible, non ?

Il n'y avait pas de route, ni même de chemin, et le sol semblait inégal et accidenté.

– Exactement, tu comprends, c'est tout l'intérêt !

Il était très excité. Des gouttes d'eau s'étaient déposées sur les verres de ses lunettes et on aurait dit qu'il pleurait, tout d'un coup.

– Non, dis-je. Quel intérêt, Laurence ?

– Je voulais trouver un endroit vraiment hors de portée. Où il ne soit pas facile d'aller.

Pour la première fois, j'eus l'impression qu'il était un peu dérangé ; il s'en rendit peut-être compte en voyant mon visage car il baissa les yeux et se mit à tripoter un coin de la carte. Il semblait déconfit.

– Tu ne veux pas le faire, n'est-ce pas ?

– Je ne comprends pas de quoi il s'agit. Qu'est-ce que tu veux qu'on fasse ?

– Je te l'ai dit, affirma-t-il avec obstination. Je veux voir.

– Pourquoi ?

– Comme ça.

– Non.

– Nous n'avons pas à escalader la falaise, dit-il. Il y a un chemin. Je peux te le montrer sur la carte.

– Non.

– Allez, viens.

– Pour moi, l'excursion est terminée, dis-je. Vas-y seul. Je t'attendrai ici.

C'était comme si une porte venait de claquer entre nous. Jamais je ne lui avais parlé ainsi ou, si je l'avais fait, seulement pour plaisanter. Là, je ne plaisantais pas. Je sentais monter en moi une colère froide. Qui était-il, ce gamin exalté à peine sorti de son internat, avec son amitié forcée, ses plans et ses projets mystérieux ? Je n'éprouvais plus aucune affection pour lui, il était hors de question de le suivre.

Il lisait tout cela sur mon visage. Il était abasourdi. Ses yeux s'arrondirent et sa bouche se mit à trembler mais il ne pleura pas. Après être resté un moment les yeux rivés sur ses pieds, il se leva et enfila sa chemise dont il boutonna méthodiquement chaque bouton. Puis il dit, d'un ton dégagé :

– Très bien.

– Quoi ?

– Tu restes ici. Je te laisse les provisions. Je ne crois pas que j'en aurai pour très longtemps. Environ deux heures. À bientôt.

Déjà il partait. Je voulais dire quelque chose, mais quoi ? Il me laissait derrière lui, dans tous les sens du terme. Je fixai les arbres, et lorsque je me retournai, il avait disparu.

Ma rébellion dura encore un moment. Je sortis les sandwichs et bus une bière. Déjà, ma petite crise s'estompait, je regrettais mon comportement. Qu'y avait-il de si terrible à aller au sommet de cette falaise ? Il n'avait que des bonnes intentions. J'eus envie de tout remballer et de le rejoindre mais j'ignorais dans quelle direction il était parti.

Une ombre voilait désormais la journée. Ici aussi, au fond de cette petite cuvette, le soleil avait disparu. Le bassin était un miroir noir à la surface brisée par la force de la cascade. La vapeur d'eau était devenue froide et les contours de la falaise s'étalaient progressivement sur la forêt. Là-haut, il faisait chaud alors que je me sentais glacé et seul. Je repensais au monstrueux reptile en train de se débattre dans l'eau.

Je me sentais observé. Les arbres m'entouraient de leur présence obscure et énigmatique, les rochers se gonflaient d'une difficile vie intérieure. Le monde ne m'avait pas observé ainsi depuis des années ; je redevenais un enfant. Je me souvenais du fond de notre jardin, de son immensité et de sa complexité le jour de la mort de ma mère.

Je me mis à marcher, mais pas pour le suivre. J'avançais simplement entre les arbres ; toujours nu. Sans savoir ce que je cherchais. Bouger, seulement bouger. Le feuillage dense s'ouvrait sur une trouée qui indiquait peut-être un passage. La piste d'un animal venu boire. Très vite, la rivière ne fut plus qu'un bruit de plus en plus lointain derrière moi. Le taillis froid et humide s'éclaircit en un sous-bois aéré bordé par un filigrane de branchages au travers desquels je tentai de me frayer un chemin.

Et elle émergea. La maison. Ou plutôt – ce que j'en vis d'abord – des losanges de grillage métallique envahi par des lianes et rongé par la rouille. Une clôture. Et au-delà, naufragée dans les feuillages, l'image fugitive d'un pignon et d'une porte défoncée.

Une maison. Ici. Pourquoi ? Je reculai d'un pas, hors d'atteinte.

Personne ne vivait là. Cela se voyait au premier coup d'œil. Personne ne vivait plus là depuis longtemps. Aucune trace de jardin ; une végétation sauvage envahissait tout. Les fenêtres sans vitre étaient noires. Et la clôture – qui avait dû être redoutable – s'effondrait sur elle-même, tordue.

J'avançai. Un peu plus loin, il était possible de franchir la clôture, là où elle était complètement écroulée. Apparaissait la ligne fantomatique de ce qui avait été jadis un chemin. Quelques pierres lisses, la trace infime d'une bordure. Les parterres s'étaient effacés d'eux-mêmes dans un débordement incontrôlé de feuillages et d'herbes folles qui en avait noyé les contours. Je montai les marches jusqu'à l'auvent de l'entrée. Des fissures, des toiles d'araignées, des traces d'humidité. Les charnières de la porte avaient été arrachées. J'entrai. Pourquoi est-ce que j'entrais ? *Pour voir.*

Je pris un long couloir où des portes donnaient sur des pièces désertées, sans meubles, ni tableaux, ni objets. La place avait été entièrement vidée, peut-être pas par ses propriétaires. D'autres étaient passés par là : il y avait les restes d'un feu, pas très récent, dans un coin d'une des pièces. Et un amas de mégots décolorés par le temps. Sur le long mur du couloir, quelqu'un avait gravé en énorme le mot BÉBÊTE, une succession de grandes lettres penchées, affaissées les unes sur les autres. Pourtant, sur les monticules de sable formés au sol, seules mes empreintes étaient visibles.

Difficile de savoir à quoi servaient les différentes pièces. Dans l'une d'elles, la dernière, un évier fêlé et un linoléum donnaient une indication. Les autres n'étaient que des coquilles vides, récurées du moindre lambeau de vie. Par endroits, des mauvaises herbes poussaient entre les planches et les fissures du plâtre se déployaient telles des veines. Du dehors, la présence des arbres s'inclinait vers l'intérieur de la maison.

J'avais peur. Une peur autre que celle générée par le bassin au pied de la cascade. Non, là-bas il s'agissait de solitude, ici c'était différent : le contraire même du sentiment d'être seul. Il n'y avait personne et pourtant on aurait dit que quelqu'un était là, aux confins de mon champ de vision, se retirant derrière les coins juste avant que j'arrive. Une créature anonyme, à la limite de l'être humain, pas tant une personne qu'une force. Malveillante mais amusée. Quelque chose que ce pays avait érigé entre lui et moi, issu d'une conjuration de ruine et de sauvagerie sans appartenir complètement à aucune, une forme, un contour, une menace. Quelque chose qui me voulait du mal.

Je sortis par la porte de derrière. Je n'avais pas le courage de retraverser la maison et ce fut un soulagement d'être dehors, sous le ciel. À l'arrière, un autre portail donnait sur une route de terre qui disparaissait sous l'herbe. Rien n'expliquait qu'il y ait eu, à cet endroit, une maison, une route, ni pourquoi il n'y avait plus ni maison ni route.

Lorsque j'arrivai au bord de l'eau, il m'attendait.

– Où étais-tu ?

– Là-bas, dis-je.

– Tu faisais quoi ?

– Un petit tour.

Après un moment, j'ajoutai :

– Il y a une maison, par là.

– Une maison ? À qui ?

– Personne. Elle est abandonnée. Je ne sais pas.

– Allons voir.

– Non, dis-je, et j'avais prononcé ce mot d'une telle façon que son visage s'assombrit.

Je me sentis soudain gêné et me retournai pour m'habiller, en poursuivant :

– Ça devait appartenir à une famille de Blancs. Ils l'ont abandonnée quand la région est devenue un homeland.

— Vraiment ?

— Enfin, je n'en sais rien. C'est une supposition.

— J'irais bien jeter un coup d'œil, dit-il, mais sa voix manquait d'enthousiasme.

— Et ton village, c'était comment ?

— Je ne suis pas allé jusque-là.

Il lança un regard frustré vers le haut de la falaise.

— Qu'est-ce qui s'est passé ?

— Je ne sais pas, la carte… Il y avait un problème. Il n'existe peut-être plus.

Des épines et des brindilles étaient accrochées dans ses vêtements et il contenait ses émotions, les bras ballants, serrant et desserrant les doigts. Il attendit que je sois complètement habillé.

— Frank, je suis désolé de ce qui s'est passé tout à l'heure.

— C'est rien.

— Non, j'aurais dû t'en parler. Ce n'était pas bien de te prendre comme ça, au dépourvu. Je pensais que ça te plairait, cette excursion.

— Mais ça m'a plu.

— C'est vrai ?

— Oui, c'est vrai.

Le malaise s'estompait et c'était à nouveau agréable d'être là, à l'air libre. Quelque chose d'inexprimé demeurait néanmoins, un poids qui nous rendit silencieux pendant que nous redescendions le long de la rivière.

Nous n'en aurions peut-être jamais parlé. Mais cette nuit-là, un coup dans le mur nous réveilla en sursaut, suivi d'une avalanche de hurlements en espagnol. Une dispute rageuse opposait les Santander. L'origine du conflit nous échappait, d'autant que l'un d'eux était censé être de garde à ce moment-là.

Laurence se leva d'un bond, paniqué. Il se débattait avec son tee-shirt et son caleçon blancs abandonnés par terre, au milieu de la pièce.

– Dieu du ciel, dit-il, qu'est-ce que c'est ?

– Le charmant couple si dévoué. Ils sont en train de s'étriper.

– Qu'est-ce que tu veux dire ? Ils se battent ?

– Je te l'avais dit.

Il les écoutait.

– Mon Dieu !

Un autre coup contre le mur. Curieusement, le schisme conjugal des Santander, ce fossé par-dessus lequel ils n'en finissaient pas de s'injurier et se déchirer, se répercutait aussi dans cette chambre, entre Laurence et moi. Je me levai et sortis dans le couloir pour frapper à leur porte. Elle resta fermée mais les cris cessèrent immédiatement. Remplacés par des sanglots étouffés qui s'estompèrent.

Lorsque je rentrai dans la chambre, il était allongé par terre et fumait une cigarette, les yeux rivés au plafond. Une sorte de mélancolie nocturne s'était abattue sur lui, conséquence de la fin de son affection pour les Santander.

– Tu sais, Frank, dit-il avec tristesse, je crois que tu es le seul qui me comprenne réellement, ici.

– Allons.

– Non, vraiment. Les autres… ce sont des égoïstes. Ils n'ont rien compris.

– Je suis égoïste, Laurence.

— Chez toi, c'est juste un jeu.

— Non, pas du tout. C'est moi le plus égoïste de tous, je t'assure.

— Ce n'est pas vrai. Tu aimes penser du mal de toi, Frank. Tu ne dois pas te sous-estimer comme ça.

— Viens. On va se coucher.

— Je ne crois pas que j'arriverai à dormir. Qu'est-ce qu'ils faisaient... ils se battaient ?

— Un truc dans ce genre.

— Tu es mon ami, Frank. Ne l'oublie jamais.

Une déclaration sortie de nulle part. Je retournai m'étendre sur le lit et remontai la couverture. Une minute plus tard, il s'assit et je sentis son regard posé sur moi.

— Tu vois, j'avais cette idée.

Je sus immédiatement, sans que rien soit dit, qu'il s'agissait de la conversation que nous n'avions pas eue plus tôt dans la journée, au bord de la rivière. J'attendis et il me dit :

— J'ai réfléchi, à propos de l'hôpital.

— Oui.

— C'est un échec. Ça ne fonctionne pas, manifestement.

— En effet.

— Je me suis dit, si les gens ne viennent pas à l'hôpital, l'hôpital n'a qu'à aller vers eux.

Il tira sur sa cigarette. À cet instant, je sus, je compris brusquement tout. Je le laissai parler.

— J'ai pensé... prendre un village. Pas n'importe quel village. Le plus isolé, le plus difficile à atteindre. Et aller là. Avec des médicaments, tu vois. Distribuer des préservatifs, parler du sida, vacciner les gens. Je ne sais pas, moi, faire quelque chose.

– Mettre sur pied un dispensaire itinérant.

– Oui. En quelque sorte. On ne peut pas rester sans rien faire dans cet hôpital. Allons au moins leur dire où se trouve l'hôpital.

– Tu voulais démarrer un dispensaire ce matin ?

– Non, non, j'allais en reconnaissance. Voir à quoi ça ressemble. Ce dont ils ont besoin. Je ne sais pas dans quoi je me lance. Tu trouves que c'est une idée complètement folle, Frank ? Dis-moi. J'ai besoin de savoir.

– Oui.

– C'est vrai ?

– C'est effectivement une idée complètement folle.

– Pourquoi ?

Je ne répondis rien ; les mots ne venaient pas. Au lieu de ça, je demandai :

– Quel est l'intérêt d'aller chercher un village perdu au milieu de nulle part ? Tu aurais pu prendre n'importe quel village. Celui qui est derrière la boutique de Maria… pourquoi pas ?

– Maria ?

Il cligna des yeux, troublé, avant de se rappeler.

– Oh, elle, oui, oui.

– Alors pourquoi ?

– Pour le geste, Frank, tu comprends ? Le symbole. Ce que tu peux faire dans l'endroit le plus reculé, tu peux le faire plus près.

Il avait agi de la même manière en venant dans cet hôpital. Il ne lui suffisait pas d'aller là où la vie ou le destin le menait. Il fallait encore qu'il épate la galerie par des prouesses qui n'intéressaient personne d'autre que lui. Agacé, je lui dis :

– Les symboles n'ont rien à voir avec la médecine.

– Ah, tu crois ?

– Mais d'où sors-tu, Laurence ? Tu vis dans quel pays ?

Il se retrancha un moment dans un silence offensé, en contemplant sa cigarette.

Les rideaux ondulaient, poussés par un vent frais.

– Enfin, finit-il par dire.

– Enfin.

– C'était juste une idée. Inutile de se disputer, je n'ai pas trouvé le village.

– Je voudrais dormir, maintenant, Laurence. Allez, on arrête.

– D'accord, dit-il.

Il se mit rapidement au lit. Après un long silence chargé de respiration et de soupirs, il reprit :

– Je suis désolé, Frank.

– Ce n'est rien.

– Je ne veux pas te contrarier.

– Tout va bien.

– Parce que tu es mon ami, Frank. Je ne voudrais pas que ça change quoi que ce soit entre nous.

– Ça ne change rien.

– Tu me le promets, Frank ?

– C'est promis, Laurence. Bonne nuit.

– Bonne nuit, Frank. Bonne nuit.

8

Et rien ne changea. Les choses étaient ainsi, par ici. Les jours se ressemblaient dans la similitude des intentions, la régularité du tracé des ambitions ; et je m'y étais habitué. Je voulais maintenir chaque chose en place, enracinée à jamais.

Même les saisons ne changeaient guère. À cause de la proximité du tropique. Entre la saison sèche et la saison des pluies, les écarts de température étaient minimes.

Laurence était arrivé au milieu de l'été, pendant la saison des pluies : l'après-midi, les nuages d'orage formaient une masse compacte dans un ciel ravagé par une luminosité électrique. L'orage éclatait en éclairs spectaculaires. Le retour des éclaircies s'accompagnait souvent de nuées de fourmis volantes à la tombée du jour. Au matin, leurs ailes transparentes jonchaient le sol. Nous étions maintenant entrés dans l'hiver, dans sa lumière claire et tranchante. Les arbres de la forêt avaient perdu leurs feuilles et, certains matins, une fine couche de givre tapissait le sol.

Rien n'était différent ; les choses se répétaient chaque année, à leur place habituelle. Ma vie semblait telle qu'elle avait toujours été. Pourtant, en dessous, dans les profondeurs, ce n'était plus pareil.

Une nuit que je rendais visite à Maria, alors que nous venions de nous installer sur la couverture, je sentis le désir – devenu presque une habitude, à la longue – céder la place à un autre sentiment, totalement subversif tant il était étrange.

– Qu'est-ce qu'il y a ? demanda-t-elle.

Mes mains s'étaient détachées d'elle, je l'observais dans le noir.

– On ne va pas faire ça, ce soir, dis-je. On va faire autre chose. On va parler.

– Parler ?

– Pourquoi tu ne me racontes pas quelque chose.

Elle se rassit et me regarda fixement en rajustant sa robe.

– Raconter quoi ?

– Je veux que tu me dises tout sur ta vie.

– J'ai dit tout.

– Non, je veux que tu me dises vraiment. Que tu me dises tout. Je veux savoir où tu es née. Je veux que tu me parles de ta mère, de ton père. De tes frères, tes sœurs. Je veux savoir à quoi tu pensais en grandissant. Je veux savoir comment tu t'es mariée. Qui est ton mari. Tout savoir.

– J'ai dit ça !

La crainte se dissimulait derrière l'indignation, on aurait cru que je l'accusais de quelque chose. J'enchaînai, comme si cette pensée était une suite – et elle l'était pour moi :

– Maria. Si tu veux, on arrête. Tu le sais ? Si tu veux que je m'en aille, que je ne revienne plus, tu n'as qu'à le dire.

– Tu veux finir ?

– Non. Non. Mais si toi, tu veux, je ferai ce que tu voudras.

Elle secoua la tête.

– Je veux pas tes paroles, dit-elle, et elle roula sur moi.

Elle avait peut-être perçu une note fausse dans ma voix et ses mains me ramenèrent vers les pistes anciennes et conformes de l'habitude. En fin de compte, rien n'avait changé.

Un jour, alors que nous étions en train de jouer au ping-pong dans la salle de loisirs, Laurence me demanda :

– Dis-moi, Frank. Lorsque des gens viennent te voir, où est-ce qu'ils logent ?

– Personne ne vient me voir.

– Jamais ?

– Non.

– Oh.

La balle en plastique rebondit hors de la table et roula par terre.

– Qui vient te rendre visite, Laurence ?

– Zanele. Mon amie. Tu sais, du Lesotho.

Il n'en avait plus parlé depuis des mois. À peu près chaque semaine, ils échangeaient des lettres écrites sur des papiers aux couleurs délicates, rien de plus. La poussière recouvrait les photographies du petit autel, au-dessus de son lit. Jamais un de ces coups de téléphone émus, un de ces désirs pressants dont j'avais le souvenir, du temps de ma jeunesse. J'avais commencé à douter de son existence.

Et maintenant, elle arrivait pour un week-end. Elle n'avait pas pu venir avant, me dit-il, à cause de ses responsabilités au Lesotho.

– Il doit bien y avoir un hôtel, quelque part.

Je secouai la tête.

— Avant, il y avait Mama Mthembu, mais elle a arrêté. Pas assez de clients.

— Elle acceptera peut-être de louer une chambre, pour dépanner.

— Écoute, dis-je, si tu as besoin, je te laisse la chambre.

— Non, non, ce n'est pas ça. Ce serait merveilleux si tu demandais à madame Mthembu. Elle t'aime bien.

Cette nuit-là, en allant voir Maria, je m'arrêtai chez Mama Mthembu pour lui en parler. Je ne pensais pas qu'elle accepterait mais je fus servi par une étrange coïncidence. Au bar se trouvaient deux ou trois hommes que je n'avais jamais vus, étrangers à la ville. Ils avaient beau être habillés en civil, leur coupe de cheveux et leur allure me faisaient penser que c'étaient des militaires. En effet, me dit Mama, ils appartenaient à un groupe de soldats envoyés ici, qui seraient logés dans son hôtel. On nettoyait les anciennes chambres pour les recevoir. Ça fait marcher le commerce, disait-elle avec un large sourire.

— Des soldats ? Pour quoi faire ?

Elle se pencha vers moi, l'air confiant.

— Je crois que c'est une patrouille frontalière. Pour empêcher les étrangers d'entrer.

— Ils sont combien ?

— Je ne sais pas. Cinq ou six. Pour l'instant, ils ne sont que trois. D'autres vont bientôt arriver.

Même cela participait de ce sentiment d'un changement en ville. Les anciennes normes fléchissaient, les objets solides roulaient hors de leur place.

— Alors, vous auriez peut-être une chambre en trop pour ce week-end ? Pour une femme, elle cherche un endroit où loger.

– Hum. C'est possible. Revenez jeudi, on verra ce que je peux faire. Vous avez une petite amie ?

– Pas moi. Elle vient voir Laurence Waters. Le jeune homme avec qui…

– Oui, je connais Laurence. C'est mon ami.

– Oh, dis-je. Oui.

Elle n'avait jamais retenu mon nom mais Laurence était son ami. Et malgré tout, il m'envoyait discuter de la chambre avec elle, comme si j'avais un pouvoir spécial.

En deux jours, l'endroit se remplit de nouvelles des soldats. Des rumeurs circulaient. Apparemment, on les avait expédiés ici pour verrouiller cette portion de la frontière notoirement poreuse. Outre les gens, une multitude de denrées illégales circulaient de part et d'autre : des armes et des munitions, de la drogue, de l'ivoire de contrebande. Le nom mentionné avec le plus de constance à propos de ces trafics était celui du Général, mais ce n'étaient que racontars et allusions malveillantes sans véritable fondement. Bien entendu, les spéculations allaient bon train quant à savoir comment les soldats s'entendraient avec le Général.

– Il va marcher avec eux, c'est clair, oui, dit Claudia avec un air sombre, à la table du petit déjeuner. Tout ça c'est de la corruption, de la corruption.

– Non, dit Jorge. Ils vont l'arrêter et l'emmener ailleurs. C'est évident.

Chacun répétait des variations sur ces deux points de vue, depuis le personnel des cuisines jusqu'à la clientèle habituelle de Mama Mthembu.

– Qu'est-ce que tu en penses ? demanda Laurence.

La présence du Général s'était suffisamment souvent imprimée dans sa psyché pour finir par s'y inscrire.

– Je ne sais pas, dis-je. Attendons de voir.

En vérité, je mettais en doute les bruits qui se répandaient autour du Général. Le personnage était devenu tellement mythique que la moindre bribe d'un propos oiseux le poursuivait tel un fait avéré. Il se pouvait qu'il ne fût plus qu'un élément perdu et brisé appartenant au passé, complètement hors du jeu.

Les discussions ne portaient pas toutes sur lui. La venue des soldats donnait le sentiment d'une vie nouvelle pour la ville. Des chambres vides et condamnées allaient être occupées. Qui pouvait dire ce qui s'ensuivrait ? Il n'était pas exclu que des magasins ouvrent, que des gens viennent, qu'il se passe enfin quelque chose.

Or, je ne voyais rien de tout cela. Il n'y avait que trois soldats au bar en ce premier jour ; Mama disait qu'il y en aurait peut-être trois autres. Six soldats n'allaient pas changer quoi que ce soit mais je ne spéculais pas non plus là-dessus.

Je revins le jeudi. Quatre autres soldats étaient arrivés et ils attendaient encore le commandant de l'unité. L'amie de Laurence aurait tout de même de la place, me dit Mama.

Il fut ravi.

– Merci d'avoir organisé tout ça, Frank.

Il avait l'air de croire que sans moi la chambre n'aurait pas été disponible.

– Qu'est-ce que tu aurais fait s'il n'y avait pas eu de place ?

Il considéra la chose posément.

– J'aurais reporté sa visite, je suppose.

– Vous auriez pu partager ton lit pendant que j'étais là.

– Oh, non. Ça ne serait pas bien.

Il descendit chez Mama Mthembu se faire une idée de la chambre. C'était bruyant, me dit-il, juste au-dessus de la cour, mais plaisant. Il posa sur la table un vase avec des fleurs qu'il était allé cueillir dans le veld et un cadre contenant une photo d'eux prise au Soudan.

Plus tard dans la soirée de ce jeudi, il fut d'une humeur inquiète et mélancolique. Il semblait préoccupé par des pensées intimes.

– Quand est-ce que tu as eu une liaison pour la dernière fois, Frank ?

– Pas depuis mon mariage. Pourquoi me demandes-tu ça ? Tu t'inquiètes à propos de ton amie ?

– Eh bien. Tu sais. Ça fait longtemps qu'on ne s'est pas vus. La dernière fois, c'était environ un mois avant mon arrivée ici. J'ai passé une semaine avec elle, au Lesotho.

– Et c'était comment ?

– Oh, formidable. Merveilleux. Oui, on a passé un moment merveilleux.

Il parlait avec trop de vigueur, en évitant mon regard.

– Tu verras bien comment ça se passe.

– Je pensais organiser une petite soirée pour elle. Demain soir. Rien de trop compliqué, seulement les gens qui travaillent ici. Tu viendras ?

– Moi ? Mais oui. Bien sûr.

Je trouvais l'idée bizarre.

– Bon, dit-il, le visage un peu plus animé. Disons à sept heures. Ça me paraît bien, Frank. Merci.

Je n'aurais pu éviter la soirée puisqu'elle avait lieu dans notre chambre. J'arrivai après mon service et la petite fête battait déjà son plein. Sur le pas de la porte, j'observais. Le spectacle était curieux. Tout le monde était venu. Même Themba et Julius, des cuisines. Même Tehogo – accompagné du jeune homme que j'avais déjà vu aux abords de l'hôpital, apparemment son seul ami. Il manquait juste Claudia qui avait pris ma relève à la garde.

Personne ne me remarqua, au début. Laurence avait emprunté quelque part un appareil qui diffusait à plein volume la musique d'une cassette légèrement distendue. Il avait rempli une série de bols de l'hôpital avec des cacahuètes et des chips rances et acheté quelques litres de vin bon marché. Un morceau de plastique transparent coloré entourait l'ampoule, les gens se parlaient avec une bonne humeur forcée, assis dans une lumière jaune criarde.

– Frank ! Où étais-tu ? Je croyais que tu t'étais enfui !

Laurence était très tendu. Il manifestait une gaieté désespérée en venant me chercher à la porte.

– Viens voir Zanele, il faut que je te présente.

Je l'avais déjà remarquée depuis l'encadrement de la porte, debout dans un coin, un peu raide, un verre de vin à la main. Elle était petite, jolie, les cheveux tressés et vêtue d'une robe africaine très colorée ; quand elle me serra la main, je sentis une tension dans ses longs doigts fins.

– Oh, bonjour, dit-elle, oui, Frank, oui.

L'accent américain explosa dans cet espace de voyelles assourdies. Et c'était un choc, après avoir si souvent parlé d'elle, d'entendre qu'elle n'était pas africaine. Je ne savais pas quoi dire et après un moment d'embarras je m'éloignai. En entrant, j'avais aperçu le docteur Ngema inconfortablement perchée sur le rebord de mon lit, buvant à petites gorgées en jetant des coups d'œil répétés à sa montre, et j'allai m'asseoir près d'elle ; elle se tourna vers moi avec soulagement.

La première chose qu'elle me dit fut :

— Je vais devoir partir, Frank.

— Ah. Très bien.

— J'ai énormément de travail. Quelle charmante soirée, vraiment charmante.

Elle insistait avec un tel manque de sincérité que je me rendis compte qu'elle me croyait à l'origine de la fête.

— C'est la soirée de Laurence, dis-je. Je n'y suis pour rien.

— Oui, oui. Nous devrions organiser ce genre de petite réunion plus souvent. C'est bon pour... pour le moral. À propos, Frank. J'avais une question. Au sujet de votre idée.

— Quelle idée ?

— Eh bien, vous savez. Le projet. Cette histoire d'endroits isolés.

Elle baissa la voix, sur le ton du secret.

— Laurence m'en a parlé. Je voulais vous demander : comment avez-vous eu l'idée d'aller là ?

— Pardon ? Je ne comprends pas de quoi vous parlez, Ruth.

— Je veux dire, pourquoi dans cette communauté-là ? Je ne savais pas que le travail auprès des communautés vous intéressait, Frank. Vous avez été très discret, là-dessus.

Je la dévisageai, déboussolé. Pourtant, je commençais à comprendre.

— Il vous a dit que…

— Chut. Chut, dit-elle précipitamment, entre ses dents.

Je m'interrompis au moment où Laurence venait nous demander si nous voulions encore du vin.

— Non, merci, dit-elle. Je vais devoir partir.

— Déjà ?

— Le travail, toujours le travail.

Lorsqu'il se fut éloigné, elle se tourna à nouveau vers moi.

— Ce n'est pas le moment de parler de ça, Frank. Passez me voir et on en discute, d'accord ? J'ai quelques idées sur le sujet.

— Très bien.

— Pour être honnête, je ne suis pas sûre du principe. Je ne pense pas que ça marchera… J'aime le changement et l'innovation, vous le savez. La question c'est comment changer. Ou quand, dans ce cas-ci. C'est tout l'enjeu. Mais chut, le voilà qui revient. Venez vite m'en parler, d'accord ?

Elle vida son verre et le posa par terre.

— Bon, je ferais bien d'y aller. Le travail, tant de choses à faire. Le devoir m'appelle. C'était charmant, cette soirée, Frank. Vraiment, merci.

— Ce n'est pas ma soirée, répétai-je, mais elle se dirigeait déjà vers la porte.

Laurence se précipita vers moi, m'apportant un verre de vin ; il s'assit sur le lit.

— Ça lui a plu, au docteur Ngema ? Elle n'est pas restée très longtemps.

— Laurence, elle a dit quelque chose que je n'ai pas compris.

— Quoi ?

Il observait, dans la pièce autour de lui, la gaieté maladroite, légèrement faussée, pareille à la bande de la cassette.

– Comment tu trouves la musique, ça va ?

– C'est très bien.

– Tu es sûr ? Et la soirée ? Est-ce que tout le monde s'amuse ? Ça se passe bien ?

– Tout va très bien, Laurence.

En regardant autour de moi, je fus cependant à nouveau frappé par l'étrangeté de la scène : Zanele en train de parler avec Jorge dans un coin, Tehogo assis sur le lit en face de moi, le bras sur l'épaule de son ami, et Julius et Themba dansant ensemble devant la porte de la salle de bains. Je savais à peine où j'étais.

– Vraiment ? Je voulais faire quelque chose pour que Zanele se sente bien accueillie.

– Elle a l'air heureuse.

– Tu trouves ? Elle est toujours comme ça. C'est quelqu'un d'heureux.

Elle paraissait effectivement un peu plus détendue tandis qu'elle écoutait Jorge en hochant la tête. Le malheur semblait plutôt venir de Laurence, qui la fixait avec de grands yeux inquiets.

– Tu ne m'avais pas dit qu'elle était américaine.

– Ah non ? Tu pensais qu'elle était d'où ?

– Du Soudan, évidemment.

– Du Soudan ? dit-il, surpris. Non, non, elle vient des États-Unis. Je voulais te demander, continua-t-il d'un ton détaché, si tu pouvais me rendre un petit service.

– Quoi donc ?

– Tu pourrais lui tenir compagnie quelques heures, demain soir ? Je suis de garde, je ne veux pas qu'elle soit seule.

– Hum, oui, bien sûr, je peux le faire. Mais si tu en parles au docteur Ngema, elle modifiera le planning.

– Non, non, c'est bien comme ça.

– Elle est venue jusqu'ici pour te voir. Tu ne veux pas que…

– Non, non, je suis de garde, c'est un engagement. Je refuse de changer.

Depuis quelques semaines, le docteur Ngema laissait Laurence assurer seul ses gardes. Il était ridiculement fier de ce nouveau statut. En vérité, il ne faisait qu'assurer la permanence à la réception ; au moindre cas un peu sérieux, il devait appeler l'un de nous. Permuter sa garde lui serait donc très facile.

– Elle refuse que je change, de toute façon, dit-il.

– Qui refuse ?

– Zanele. Le travail passe avant tout, pour elle comme pour moi. Je la verrai dimanche. Merci d'accepter, Frank. J'apprécie.

Je ne sais si le désespoir de Laurence m'avait contaminé, mais je me retrouvai vite passablement soûl. Je vidais les verres de vin l'un après l'autre au point de trouver soudain la gaieté qui m'entourait authentique. Et d'en faire partie.

La configuration des corps avait changé dans la pièce. Themba et Julius étaient assis sur mon lit. Claudia avait fait son apparition, alors que Jorge était parti, et elle était plongée dans une discussion très sérieuse avec Zanele et Laurence assis par terre. J'étais sur l'autre lit, entre Tehogo et son ami.

L'ami de Tehogo s'appelait Raymond, un prénom qui m'était agréablement familier, et je suis probablement resté assis là un moment. Je l'avais souvent croisé dans les parages, nos échanges se limitaient à un ou deux mots sans importance. Il était jeune, avec une grâce presque féminine, une peau douce et souple, un sourire charmant. Il affectionnait le même style tapageur que Tehogo, si bien qu'avec leurs cheveux coupés court, leurs bijoux en or et leurs vêtements à la dernière mode ils détonnaient. Les échanges amicaux entre nous trois eurent immédiatement quelque chose d'irréel et déplacé. Mes contacts avec Tehogo s'étaient bornés à de vagues grognements et, ce soir, la conversation allait bon train, sans qu'on sache où elle avait commencé. Nous étions assis très près les uns des autres, tellement proches que la chaleur commune de nos corps était excessive, et Raymond avait posé un coude sur mon épaule. Malgré la pénombre ambiante, tous deux portaient des lunettes noires et dégageaient une curieuse impression de cécité.

Nous parlions du fait que Laurence et moi partagions une chambre. J'ignore comment nous en étions venus à aborder le sujet, mais je m'entendis soudain dire que j'avais voulu la chambre de Tehogo.

Son sourire se figea quand il comprit. Je dus immédiatement m'expliquer et me justifier :

— Il n'y a plus de problème, maintenant. Je ne veux plus de cette chambre.

— Tu veux ma chambre ?

— Non, non, je suis très content comme ça. J'en ai juste parlé une fois avec le docteur Ngema mais c'est fini, plus de problème. Vraiment.

Raymond lui dit quelque chose et ils éclatèrent de rire. Puis Raymond me dit :

— Tu veux sa chambre, tu attends.

— Puisque je te dis que je n'en veux plus.

— Un mois, deux mois, fit Raymond. Tu attends.

— Vous n'avez pas compris, insistai-je avant de réagir. Qu'est-ce qui va se passer, dans deux mois ?

— Il a un nouveau boulot, dit Raymond.

— Ah bon ?

— Nouveau boulot, confirma Tehogo. Bon boulot.

— Quel genre de boulot ? demandai-je. Tu peux me le dire. Je garderai ça pour moi.

— Bon travail, mauvais travail, dit Raymond. Un travail à la fois bon et mauvais.

Tehogo me donna une petite tape rassurante dans le dos.

— Ne t'en fais pas. Tu restes ici. Tu prends ma chambre. Et moi je viens et je te coupe la tête.

Ils se remirent à rire aux éclats. Puis ils se parlèrent, de part et d'autre de moi, et l'ambiance redevint plus posée.

— On rigole, dit Raymond.

— Pas de boulot, m'affirma Tehogo. Tout ça, c'est des blagues.

Avant que j'aie pu dire quoi que ce soit, Laurence avait foncé vers nous, l'air anxieux.

— Je me demande si ça va, cette musique, Frank. Tu trouves que ça va ?

— Ne t'en fais pas pour la musique.

Je fus contredit par Tehogo.

— C'est pas de la bonne musique, annonça-t-il avec sérieux. J'ai de la meilleure musique. Attendez. Une minute. J'arrive.

Il s'en alla. Pendant qu'il était parti, Raymond resta appuyé contre moi, me parlant à l'oreille. Je n'entendais pas bien ce qu'il disait à propos de l'amie de Laurence sur un ton aimable et insinuant ; apparemment, j'aurais dû trouver ça drôle si j'avais compris.

Tehogo revint avec un paquet de cassettes qu'il jeta en vrac sur le sol. Le tempo s'accéléra et devint plus énergique, vide et entêtant, et finalement tout le monde se mit à danser. Tout le monde sauf Laurence. Assis sur mon lit, il nous observait avec une expression peinée et perplexe. Je lui fis signe de se joindre à nous mais il secoua la tête.

Je me surprenais moi-même. Je n'avais pas dansé, je crois, depuis mon mariage. Et je me retrouvais en train de sauter et me trémousser face au plus improbable des partenaires, Tehogo. Je ne reconnaissais rien, en lui, de ce corps engourdi et pesant qu'il traînait maladroitement à longueur de journée ; il savait vraiment bouger. Il ondulait avec souplesse et, plus étrange que tout, il était heureux. Son visage grimaçant sous la sueur me parut fou jusqu'à ce que j'y discerne le reflet inversé de mon propre visage.

Cette nuit-là, il nous était arrivé quelque chose ; nous étions passés à travers le mur qui d'ordinaire emprisonnait nos mouvements. La pièce s'ouvrait, se refermait, autour de moi, pareille à une fleur extravagante. Je n'étais plus moi-même. Un abandon désinvolte m'envahissait, étranger et luxuriant. L'impression d'être sur une hauteur d'où je distinguais les contours habituels de ma vie dans ce qu'ils avaient de si étroit et restreint. Pourtant, jamais je ne reviendrais en arrière. Je savais que nous allions tous rester là où nous étions, à ce sommet d'émotion, dans la grâce de cet état de bienveillante amitié.

Puis chacun s'en alla. Il n'y eut plus de musique, plus de vin, Tehogo et Raymond voulaient que je les accompagne chez Mama Mthembu pour continuer à boire et danser. Pour moi, la soirée était finie, je le savais. Déjà la migraine s'installait. Debout sur le pas de la porte, je les saluai comme si j'avais été leur hôte et eux mes invités.

— À demain, dis-je à Tehogo.

Je le serrai dans mes bras pour l'embrasser, sentant glisser sous mes mains ses fines omoplates.

— N'oublie pas, dit Raymond. Dans deux mois, tu as ta chambre pour toi tout seul.

— Il blague, dit Tehogo. Ce n'est pas vrai.

— Je ne sais plus ce qui est vrai, dis-je.

Nouvel éclat de rire, excessif et sans objet. La pièce s'était vidée. Dans la faible lumière de la lampe, je reconnaissais à nouveau ma chambre, pleine des résidus de la fête. Les haut-parleurs crachotaient doucement une infinité de parasites.

— Je ramène Zanele et je reviens, dit Laurence. Je n'en ai pas pour longtemps.

Elle souriait, embarrassée, en lissant une mèche de cheveux derrière son oreille. Sans me regarder.

— Tu peux revenir demain matin.

— Je ne vais pas te laisser tout nettoyer. Ce ne serait pas sympa.

— On rangera demain.

— Non, non. Je suis de retour dans quelques minutes.

Après leur départ, je contemplai les restes épars et les meubles en désordre tandis que ma bonne humeur retombait. Je ne parvenais pas à croire que j'avais bu et dansé comme quelqu'un ayant la moitié de mon âge, mais la jeunesse avait du bon et, à côté de ce pétillement lumineux, Laurence Waters semblait, lui, vieux, fatigué et blasé. Pourquoi ne passait-il pas la nuit avec elle ?

Un quart d'heure plus tard, il était de retour. Alors qu'il avait dit revenir pour ranger, il se contenta de regarder la chambre en désordre et il s'affala sur son lit.

— C'était bien ? dit-il.

— De quoi tu parles ?

— La soirée. Ç'a été ? Les gens se sont amusés ?

— Je crois, oui.

— Vraiment ? C'était comment, par rapport aux autres fêtes ?

— Laurence, je suis ici depuis des années, personne n'a jamais organisé de soirée. Tu as été le premier à le faire.

— Vraiment ? répéta-t-il.

Un pâle sourire perça sous l'anxiété.

— Tu as été formidable, Frank.

— C'est parce que je suis soûl.

— C'est vrai ?

— Je suis ivre mort, Laurence. Bon Dieu. Je n'ai pas été dans cet état depuis des années.

— Ah bon, dit-il vaguement.

Son visage se rembrunit.

— Pourquoi le docteur Ngema est-elle partie si tôt ?

— Je crois que les fêtes, c'est pas son truc.

Il acquiesça distraitement, fit mine de ramasser quelques gobelets en carton. Je l'observai un moment puis je dis :

– Qu'est-ce que c'est que ce projet en direction des lieux isolés dont elle m'a parlé ?

– Oh, ça.

– Eh bien, c'est quoi ?

– Tu devrais le savoir, Frank. Tu es le premier à qui j'en ai parlé.

– Ton dispensaire itinérant ?

Il hocha la tête.

– Je dois te remercier. C'est toi qui m'as donné l'idée d'essayer d'abord avec le village de Maria. Une excellente suggestion.

– Tu es allé dans le village de Maria ?

– Plusieurs fois. L'endroit est idéal. Le projet serait de faire un essai de dispensaire dans quelques semaines. De voir comment ça se passe. Et si ça marche…

Il rit.

– C'est fini, les symboles, Frank. Tu avais raison.

– Pourquoi est-ce que personne n'en a parlé ?

– Le docteur Ngema va l'annoncer à la réunion du personnel, lundi. Mais arrêtons de parler de ça, Frank. Je ne suis pas d'humeur.

Nous abandonnâmes donc le sujet et peu après nous nous endormîmes. J'étais contrarié que ce projet se concrétise dans le village de Maria sans en avoir été averti mais l'étrange harmonie de la soirée faisait que cela n'avait pas d'importance. Le passé était complexe et fracturé, c'était le passé. Demain serait un autre jour.

Je me réveillai le lendemain, une terrible migraine en suspension entre les tempes. Nous n'avions pas éteint la lampe et sa faible clarté mêlée à la lumière du jour révélait le désastre de la chambre. Les chips écrasées sur le sol, les gobelets cassés contenant des fonds de vin.

En me levant, je vis que quelqu'un avait fait tomber de la table le poisson en bois que Laurence m'avait offert ; il s'était cassé en plusieurs morceaux. Je les jetai dans la poubelle, et à travers ma migraine, j'observai Laurence vautré sur le ventre, bouche ouverte, un filet de salive le long de la lèvre. La journée avait déjà un air usé et répugnant.

Une douche chaude et une aspirine n'y changèrent rien. Laurence dormait toujours quand je sortis. Je ne savais pas où j'allais, je voulais seulement partir.

Au moment où je sortais dans le couloir, Tehogo fermait sa porte à clé. Il paraissait aussi mal en point que moi. J'aurais dû lui sourire, je le savais, mais je n'avais tout simplement pas envie de sourire ce matin.

– Mes cassettes, me dit-il.

– Quoi ?

– Tu as mes cassettes. Dans ta chambre.

Il fallut un certain temps à mon cerveau embué pour comprendre. Puis sa grossièreté m'irrita.

– Laurence dort encore, dis-je. Tu les récupéreras plus tard.

Il grommela et en un instant nous en étions à nouveau là : dans la dureté, l'amertume, la méfiance. Le passé rechargé, rétabli. Rien n'avait changé, finalement.

Ma journée fut marquée par cela. La migraine ne capitulait pas et dans mon esprit ravagé s'embrouillaient des bribes d'inquiétude. Je pensais, sans beaucoup de cohérence, à Laurence et son amie, à la fête. Je savais que je m'étais engagé à passer un certain temps avec Zanele, ce soir, et je ne savais plus pourquoi. Me trouver impliqué dans les affaires personnelles de Laurence me contrariait et j'avais l'impression qu'en restant seul, à l'écart, suffisamment longtemps, cet engagement deviendrait caduc.

Ce qui n'arriva pas. Lorsque je rentrai en fin d'après-midi, il nettoyait la chambre. Il me dit d'emblée :

– Oh, Dieu merci. J'ai cru que tu me laissais tomber.

– Écoute, Laurence. Laisse-moi faire la garde à ta place. Comme ça tu pourras…

– Non, non, pas question. Je t'ai dit, c'est un devoir.

Je m'allongeai et le regardai s'activer et frotter à quatre pattes, un torchon humide à la main. Sur le sol, certaines taches ne partiraient jamais.

9

J'arrivai en retard et elle m'attendait au pied de l'escalier, vêtue d'une autre de ces tenues africaines. Elle était légèrement maquillée, je voyais qu'elle avait fait un effort pour soigner son apparence. Quant à moi, j'avais les mêmes vêtements depuis le matin, une barbe de deux jours, une vague douleur derrière les yeux.

Nous devions manger chez Mama Mthembu ; il n'y avait aucun autre restaurant en ville. Je la guidai. Le bar était bondé. À leur coupe de cheveux et leur attitude, je reconnus les soldats du contingent au grand complet, un groupe où se mêlaient les races et les âges. Les clients habituels, cette mosaïque d'employés, de fermiers et d'ouvriers qui constituaient la population hétéroclite de la ville, étaient aussi plus nombreux qu'à l'ordinaire. Il restait une table libre dans la cour, le hasard avait fait que je m'étais assis à cette même table avec Laurence le premier jour, dans l'angle, sous la bougainvillée. Mama vint prendre les commandes et je pris un whisky.

– C'est vraiment une bonne idée ? dit Zanele.

– Je vais combattre le mal par le mal. Je ne m'en sortirai pas sans anesthésique. Et on n'en trouve nulle part ailleurs dans ce trou perdu.

Elle sourit.

– Curieux endroit. Je ne m'attendais pas à cela.

– Tu t'attendais à quoi ?

– Eh bien, Laurence ne parlait pas de… dans ses lettres… Je m'étais fait une autre idée.

J'ignore quelle était cette autre idée. Je voyais que le lieu la mettait mal à l'aise : elle lançait des regards éperdus autour d'elle. Moi non plus, je n'avais pas envie d'être là et je m'efforçais malgré tout de ne pas laisser paraître le poids de ma contrariété. Et puis être assis en face d'un visage charmant, un whisky à la main, n'était pas si désagréable.

Grâce à l'alcool, l'ambiance s'était allégée. Nous parlions de tout et de rien – ses antécédents, comment elle avait atterri ici. Issue de l'Amérique moyenne, elle était fille et petite-fille de Noirs américains. Elle n'avait rien d'africain – pas même son nom. Zanele était le nom qu'elle avait pris en arrivant au Soudan. En réalité, elle s'appelait Linda.

– C'est un joli prénom, Linda.

Elle secoua la tête. Elle voulait tout laisser derrière elle, cette enfance à demi privilégiée et fondée sur des valeurs déplacées, propres aux classes moyennes. Désormais, elle se croyait africaine, en dépit de ses attitudes et de son assurance indiscutablement venues d'un autre continent.

Pourtant, il y avait dans sa mission quelque chose que j'admirais. Elle était allée là-bas, dans le désert soudanais, elle y avait travaillé dur et mené une vie rude dans les montagnes du Drakensberg. Rien de ce qu'elle me raconta de sa vie au Lesotho ne me fit envie. J'en étais à mon troisième whisky, me sentant maintenant à l'aise, et j'en commandai un autre pour accompagner mon plat. C'était simple de l'écouter parler d'une bibliothèque, d'une crèche, d'un programme d'alphabétisation et même d'une banque paysanne – l'ensemble conçu et géré par les habitants d'une communauté pauvre des hautes montagnes. Avec des fonds étrangers qu'elle avait aidé à rassembler. Cela semblait utopique – et ça l'était, évidemment : rien n'existait encore vraiment, tout était en chantier. En attendant, elle et six autres étrangers bénévoles dormaient sur des matelas à même le sol et occupaient leurs journées à des boulots ingrats qui allaient de la vaccination du bétail au creusement de fossés d'irrigation.

– Et toi, tu fais quoi, là-bas ?

– Je suis enseignante. La seule dans le village. J'enseigne à des enfants de tous âges – de six à seize ans.

– Qu'est-ce que tu leur apprends ?

– Plusieurs matières. Les maths, l'anglais. Un peu d'histoire.

– Ça ne doit pas être très efficace.

– Pourquoi ?

– Eh bien, je veux dire, des âges différents ensemble. Donc des niveaux différents. Et autant de matières.

– Ce n'est pas comme les écoles dans lesquelles tu es sans doute allé, dit-elle un peu sèchement. Mais il y a des résultats. Ces gens sont très pauvres. Et c'est mieux que rien.

– Vraiment ?

– Voyons, bien sûr. Tu ne penses pas ?

– Pour moi, dis-je, passé un certain point, ce qu'on fait et rien, c'est pareil.

Elle me dévisagea.

– Tu l'as déjà fait ?

– Quoi ? Aller accomplir un travail bénévole auprès d'une communauté pauvre ? Non. Peut-être que je n'y crois pas. À moins que ce soit ce que je fais ici, finalement.

– Non, dit-elle. Pas dans cet endroit. Tu ne fais pas un travail auprès d'une communauté, ici. Tu ne sais pas de quoi tu parles.

Laurence et elle appartenaient à la même catégorie d'individus : les naïfs qui croient aveuglément en leur pouvoir de changer les choses. Une croyance simple, d'une simplicité bête et puissante. J'imaginais ce qui les avait attirés l'un vers l'autre dans ce camp là-bas, au Soudan – Laurence, le jeune guérisseur consciencieux et passionné, et elle, perdue dans sa quête, avec son nouveau nom. Et comment l'Afrique du Sud, ce pays à l'extrême pointe du continent dont le futur glorieux ne faisait que commencer, leur avait semblé la toile de fond propice à leur croyance.

Ce n'était qu'un aspect des choses, bien sûr. Je voyais aussi à quel point ils étaient mal assortis. Qu'avaient-ils véritablement en commun, au-delà de leurs nobles aspirations ? Leur relation n'était jamais qu'une idée de plus – sèche et raisonnable comme tout ce qu'ils faisaient. Et ils avaient commencé à s'en rendre compte, à leur tour. Raison pour laquelle nous étions assis, elle et moi, à cette table pendant que Laurence, à un kilomètre de là, assurait une garde qu'il aurait pu déplacer.

La conversation tourna inévitablement autour de Laurence. Elle dit :

– Je voulais te remercier de t'occuper de lui. Il parle de toi dans chacune de ses lettres. Ta présence ici l'a beaucoup aidé.

– Je ne l'ai pas aidé.

— Lui pense que si. Tu ne le sais peut-être pas, mais Laurence n'a aucun ami. Tu es le premier qu'il ait jamais eu. C'est important pour lui.

— Pourquoi est-ce que Laurence n'a pas d'amis ?

— Je n'en sais rien. Il est peut-être trop préoccupé. Il a tendance à vivre pour lui-même. Tu connais son histoire, évidemment.

— Un peu. Pas beaucoup. Je sais que ses parents sont morts.

— Ses parents ?

Elle me regarda fixement.

— Mais ce n'est pas vrai.

— Son père et sa mère ne se sont pas tués dans un accident de voiture ?

Elle secoua la tête et baissa les yeux.

— C'est une légende, dit-elle. Je ne vois pas pourquoi il t'a dit ça. Je pensais que c'était fini, cette histoire.

— Alors, c'est quoi la vérité ?

— Ses parents ne sont pas morts. C'est un enfant illégitime. Il n'a jamais vu son père. Sa mère l'a élevé seule. Et elle lui a raconté cette histoire à propos de ses parents morts, d'elle qui l'aurait pris en charge…

— Et qu'elle était sa sœur.

— Exactement. Cette histoire.

Je me sentis en quelque sorte trahi.

— Il m'a expliqué qu'il avait cherché leur tombe, un jour, une histoire interminable…

— C'est en partie vrai. Il les a effectivement cherchés. Et sa sœur – sa mère – lui a alors dit la vérité. Un coup terrible, pour lui. C'est du passé, maintenant. Je me demande pourquoi il t'a menti.

— C'est assez décevant, dis-je, ces secrets impénétrables. On n'est plus au Moyen Âge.

Elle paraissait troublée, ce qui donnait à son visage une profondeur supplémentaire. J'allais prononcer une parole imprudente lorsque Mama arriva avec nos plats. Je portai mon attention ailleurs, à contrecœur.

— C'est plein, ce soir, dis-je.

— Tout le monde est là, dit Mama.

Elle semblait incapable d'arrêter de sourire, son bonheur irradiait depuis l'espace entre ses dents de devant. Elle déposa nos assiettes et le tintement de ses bracelets sur ses bras potelés avait un son de tiroir-caisse.

— Les soldats sont tous arrivés ?

— Même le chef. Le colonel Moller. Il est arrivé hier.

— Qui ? dis-je.

J'eus l'impression qu'un feu brûlant envahissait ma tête.

— Le colonel Moller. Oh, un homme tellement adorable. C'est lui, là-bas, près du bar. Vous voulez plus de glaçons ?

— Non, merci.

Je me mis à transpirer. C'était trop, en vérité ; trop comme coïncidence. Il fallait que je le voie. J'allai me laver les mains aux toilettes. La silhouette que Mama avait désignée était au bout du bar et c'est seulement au retour que je pus le dévisager pendant deux longues secondes. Oui, c'était lui ; à peine différent, malgré les dix ans écoulés. Un peu plus mince, un peu plus vieux ; il avait gagné un galon et commandait un groupe mixte de soldats – des Noirs et des Blancs dont certains avaient été les ennemis qu'autrefois il cherchait à abattre. La vie devait lui paraître bien différente depuis qu'on l'avait envoyé ici, affecté à cette mission improbable, mais pour moi il n'avait pas changé, c'était le même homme. Une physionomie étroite, fanatique, un corps dégageant un pouvoir disproportionné malgré un certain laisser-aller. Il me dévisagea à son tour, de ses yeux morts, puis détourna le regard. Il ne savait pas qui j'étais.

Je me rendis compte que je tremblais. Zanele m'observa avec curiosité tandis que je regagnais la table.

– Que se passe-t-il ?

– Rien, tout va bien.

Je n'allais pas bien. Mon esprit était ligoté à ce que je venais de voir. Je m'assis et commençai à manger mais je n'étais plus dans la cour. Je suivais dans l'obscurité le dos brun d'un caporal en direction d'une cellule éclairée… et je repartais seul, le pas mal assuré.

Je secouai la tête pour chasser les souvenirs. Bien que l'espace autour de moi soit redevenu présent, que le bruit des conversations et de l'activité ambiante ait repris, quelque chose avait changé. Quelque chose en moi, peut-être, qui s'était cependant immiscé dans le silence à notre table.

Finalement, je reposai ma fourchette. Je dis :

– L'homme à l'intérieur, près du bar. J'ai été sous ses ordres, à l'armée.

Elle ne jeta même pas un coup d'œil vers le bar. Elle me regarda fixement :

– Tu as fait l'armée ?

Je voyais ce que cela signifiait pour elle. L'armée, la sale époque : elle dînait avec un ennemi.

Je dis, pour me défendre :

— Laurence m'a raconté qu'il regrettait d'avoir échappé à l'armée. Il pense que c'est une expérience formatrice.

— Laurence raconte des bêtises, parfois. Il ne sait pas comment fonctionne le monde.

— Pourtant, il n'a pas tort. Il n'apprendra pas grand-chose, ici, avec son année de service social. Il aurait mieux valu qu'il se retrouve dans un trou pourri, en plein bush. Qu'il aille tuer des gens, que des gens essaient de le tuer. Là, il verrait. Il ne parlerait plus de dispensaire de campagne, ni d'aider l'espèce humaine.

J'étais surpris par ma colère, sa froideur et sa netteté – même si je ne savais pas précisément contre qui elle était dirigée. Nous étions maintenant dans un monde sans nuance, où le noir et le blanc avaient remplacé le dégradé subtil des tonalités.

Elle recula sa chaise de la table.

— Tais-toi, dit-elle. Ne parle pas comme ça.

Rien ne pouvait m'arrêter, désormais.

— Pourquoi ? Tu trouves ça trop réel ? Les idées valent toujours mieux que la réalité, évidemment. Pourtant le monde réel l'emporte toujours, tôt ou tard. Laurence finira par s'en rendre compte. Et toi aussi, quand tu rentreras aux États-Unis et que tu laisseras tomber tes robes africaines et ton faux nom.

— Va te faire foutre, mon cher.

— Après toi, dis-je tandis qu'elle se levait et s'éloignait dignement.

Je restai assis et croquai un glaçon en réfléchissant à la rapidité avec laquelle tout avait dérapé. Je fulminai encore un certain temps, plein de rage froide. Je ne pensais pas à elle ; je pensais à Laurence. Et je me souviens que dans ce nom, Laurence Waters, je décelai soudain une combinaison de médiocrité et de conspiration, de banalité et de piété qui m'offusqua.

Je ne fus pas long à me calmer. Et à ne plus être si fier de moi. J'empruntai un plateau à Mama, y déposai nos assiettes et nos verres, et pris l'escalier. Je frappai sans recevoir de réponse et pourtant, derrière la porte, le silence était chargé.

– S'il te plaît, dis-je. Je ne savais plus ce que je disais. Je suis vraiment désolé. J'ai trop bu. Je n'avais pas le droit.

– Fous le camp, dit-elle enfin.

– Je ne peux pas. Je ne peux pas rentrer et dire à Laurence que je t'ai insultée.

– Je m'en fous. J'en ai rien à foutre de toi et de Laurence. Vous avez tellement l'air amoureux l'un de l'autre, pourquoi vous ne baisez pas un bon coup ?

Pour la première fois peut-être, depuis des années, je restai sans voix. Quelque chose de mon ahurissement dut lui parvenir, au-delà de la porte, car dans le silence qui suivit, je l'entendis tirer le verrou.

Il me fallut un moment pour me ressaisir. Je ramassai le plateau que j'avais posé par terre et entrai. La pièce était plongée dans la pénombre, de la lumière provenait de la cour. Au premier coup d'œil, j'eus le souvenir de ce mobilier sommaire dans lequel j'avais vécu : le lit étroit à une place, la table et les deux chaises, le lavabo dans l'angle. Elle était assise à la table, près de la fenêtre, l'air étrangement déterminé et guindé. J'avançai et posai le plateau.

— Bon, dis-je enfin.

— Je suis désolée.

— Ce n'est pas notre jour, on dirait.

— Je ne sais plus où j'en suis, dit-elle. Je suis fâchée, déboussolée. C'est fini, n'est-ce pas… entre Laurence et moi. Si tant est que ç'ait jamais existé.

Je m'assis en face d'elle. Il n'y avait rien à ajouter. Cette soirée n'était qu'une débâcle d'émotions gâchées, centrées sur rien de précis. Des voix et des rires montaient de la cour. Sur la table était posée la photo d'elle et de Laurence dans le désert, souriant face à l'objectif. Je la pris et l'inclinai vers la faible lumière de la fenêtre.

— Vous aviez l'air heureux, là-bas, dis-je.

— Parce qu'on travaillait. Il est heureux quand il travaille. Avec moi, il n'est pas heureux.

— Et toi, tu es heureuse avec lui ?

— Je ne sais pas. J'imagine que non. Je ne me rappelle plus.

— Tu devrais manger un peu, dis-je, comme une mère.

— Je n'ai pas faim. C'est le bordel. Je suis désolée.

— C'est pas grave. Moi aussi je suis désolé. On est tous désolés.

Elle était amère, sa combativité avait disparu. Elle était triste et effondrée sur sa chaise, pareille à une voile sans vent. À travers le silence, j'entendais sa respiration. Soudain, dans un élan plein d'entrain, elle dit :

— Allons faire un tour. Il fait tellement… étouffant ici.

— Pour aller où ?

— Je ne sais pas. Il doit bien y avoir un endroit.

— Pas vraiment. On peut aller se balader en voiture.

– Ç'a un côté désespéré.

– Comme nous.

Elle eut un petit rire triste.

– Qu'est-ce que c'est, là-bas, dit-elle, la grosse bâtisse sur la colline ?

Moi aussi je la regardais, cette silhouette de galion gothique échoué après la tempête.

– C'est la maison du Général.

– Qui est-ce ?

– Le Général est l'ex-dictateur de pacotille de l'ex-homeland. Dans la capitale duquel nous nous trouvons.

– Et où est-il, maintenant, ce Général ?

– Eh bien, dis-je, c'est la question. Tout dépend de celui qui répond. Certains pensent qu'il est mort et enterré. D'autres prétendent qu'il est encore là et qu'il fait du trafic de réfugiés, de marchandises volées, d'armes et de drogue de part et d'autre de la frontière. Un petit boulot pour meubler sa retraite, si on veut. Ces types, les soldats, sont ici pour boucher les trous. Soi-disant. Bref, rien que du bla-bla. Qui sait ce qui est vrai.

– Qu'est-ce que tu en penses ?

– Bah, tu vois comment je suis. Je m'attends toujours au pire. Pour parer à toutes les éventualités.

– Tu l'as déjà rencontré ?

– Oh, *ja.* Autrefois, on le voyait tout le temps. Un jour, je l'ai vu ici, d'ailleurs.

– Ici ?

– Enfin, en bas. Dans la cour. J'étais venu boire un verre et ses gorilles étaient partout, pour le protéger. Ils m'ont empêché d'aller plus loin que le bar. Tout le reste était fermé. Je l'ai aperçu à travers la porte, en train de manger avec sa femme. Un petit homme. Mais je l'ai vu de plus près.

— Quand ?

— Il est venu à l'hôpital pendant que j'étais de garde. Il avait une douleur dans la poitrine, d'après lui. Les types de la sécurité ont envahi l'hôpital. J'ai appelé le docteur Ngema pour qu'elle s'occupe de lui. En l'attendant, j'ai écouté son cœur avec mon stéthoscope et je peux affirmer qu'il battait.

Elle était fascinée.

— Comment était-il, avec toi ?

— Poli, plutôt distant. Je pense qu'il n'a pas fait très attention à moi. Il était soucieux de cette douleur à la poitrine.

— Et c'était quoi ?

— La mauvaise conscience ? Des gaz ? Je ne sais pas. Le docteur Ngema s'en est occupée.

Le souvenir de ce moment revint soudain avec force : le petit homme torse nu, assis au bord du lit, son képi d'officier dans les mains. Il se tenait bien droit, il était très raide et très soigné.

— Tu avais peur ?

Je dus réfléchir un moment.

— Oui, j'imagine. J'ai tendance à avoir peur de ce qui pourrait me tuer, même lorsque c'est peu probable.

— Incroyable.

Elle avait tourné vers moi son visage sérieux, impressionné, et je savais ce qu'elle allait dire. Comme si le chaos des émotions de la soirée devait déboucher sur cette idée limpide.

— Allons là-bas.

— Où ?

— Chez lui.

– Il n'habite plus là. C'est vide.

– Ça ne fait rien. J'ai envie d'aller voir. Juste jeter un coup d'œil.

– D'accord, dis-je.

J'étais content d'avoir trouvé quelque chose qui lui change les idées. J'avais envie de lui faire plaisir.

Nous roulâmes en direction de la maison éclairée sur la colline. Elle était illuminée chaque nuit, bien qu'elle fût vide ; un quelconque larbin ou gardien actionnait un interrupteur. Afin d'entretenir l'éclat du vieux symbole.

Une seule route conduisait vers le sommet. Je suppose qu'elle avait été construite à la même époque que la maison ; personne d'autre n'habitait là-haut. La vue était impressionnante. Je n'y étais allé qu'une ou deux fois, peu après mon arrivée. La dernière fois, un incident très déplaisant s'était produit. Assis dans ma voiture à l'arrêt, je regardais dehors lorsqu'un policier frappa au carreau. Je fus contraint de sortir de la voiture. Il m'obligea à me coucher sur le capot pendant qu'il me fouillait. Puis, un autre policier arriva et ils commencèrent à me bousculer. Sans méchanceté mais suffisamment pour me faire peur. Ils étaient jeunes et pleins d'une imperturbable hostilité. Je me souviens que l'image de ma femme lisant en page trois d'un quotidien local : « *Un médecin disparaît dans le bantoustan* », me revint en mémoire. Et ce serait ainsi.

Un officier apparut et tout se calma. Il fut courtois et professionnel avec moi. Il ne fallait pas venir en haut de la colline, disait-il ; le Général avait beaucoup d'ennemis, et la police et l'armée avaient reçu des consignes très strictes. Il existait d'autres collines ailleurs, avait-il dit en montrant le lointain, d'où admirer le paysage.

Ceci aurait pu être la fin sans conséquence d'une histoire potentiellement désagréable s'il n'y avait eu un épisode ultérieur. Je n'avais jamais vu auparavant le premier policier, celui qui avait montré des qualités de bestialité exemplaires, et j'espérais bien ne jamais le revoir ; or, six mois plus tard, il fut nommé, par le Général en personne, chef de la police de la ville. Il était significatif qu'il ait accédé à ce rang en passant au-dessus de l'officier aimable qui m'avait sauvé et que je n'allais plus jamais revoir.

Je n'y étais pas retourné, bien que la colline fût à nouveau accessible ces derniers temps. Deux voitures étaient garées au sommet, sombres et discrètes – probablement des amoureux venus de Dieu sait où échanger quelques caresses tardives – et je m'arrêtai à une certaine distance d'elles. Au-dessous de nous, la vallée étalait un maillage de lumières. Vue de cette hauteur, la ville semblait normale ; pareille à n'importe quelle autre ville du pays, la nuit. Il fallait un examen minutieux et un esprit perspicace pour voir qu'il n'y avait aucun mouvement de phares, que la plupart des fenêtres étaient noires.

– On peut faire le tour ?

Le panorama ne l'intéressait pas ; elle n'avait d'yeux que pour la maison. Pourtant, ce qu'on voyait se limitait à un toit derrière de hauts murs surmontés de fil barbelé.

– On ne pourra pas entrer.

– Je sais, on peut regarder de l'extérieur.

L'entrée principale était fermée par des portes métalliques coulissantes. Nous collâmes nos yeux à la jonction des panneaux mais seule une mince bande était visible : de la pelouse, une colonne, des marches. Je crus apercevoir une guérite. Nous tournâmes le coin pour longer le bâtiment. Et nous arrêter net.

– Frank, dit-elle. Ce n'est pas possible.

Moi non plus, je n'en croyais pas mes yeux. Le mur était percé d'une petite porte latérale. Entrebâillée, ouverte. À l'intérieur, à peine visibles, les volumes sombres d'un jardin.

– Ce n'est pas une raison pour entrer, dis-je.

– Qui l'a laissée ouverte ?

– Je ne sais pas. Un ouvrier, peut-être. Ou un garde chargé de la sécurité. Armé.

– Allez, viens. Nous ne sommes pas des voleurs.

– Je ne crois pas que ce soit une bonne idée, dis-je.

Elle entra malgré tout, et une minute après je la suivais. Je me trouvais sur un chemin discret, en cul-de-sac, à l'écart de l'allée principale du jardin. Il n'y avait aucune lumière mais, à mesure que j'avançais dans l'obscurité, l'écran des feuillages prit de lui-même la forme d'une haie. Le son du gravier et des brindilles qui craquaient mollement sous mes pieds me terrifiait. Je m'efforçais de marcher doucement, en retenant mon souffle, mais je poussai un petit cri de panique lorsque je la heurtai dans le noir. Elle pouffa de rire et s'agrippa à moi, une étreinte chaleureuse qui se relâcha immédiatement.

– De quoi as-tu peur ? murmura-t-elle.

– Nous ne sommes pas censés être ici.

– On regarde, c'est tout.

Je la suivis tandis qu'elle avançait vers la source de lumière, plus haut. La maison apparut, grande, resplendissante et solide. Nous étions entrés par ce qui devait être le fond du jardin et nous marchions en direction de l'allée centrale. Un chemin en ardoise menait à un cadran solaire à travers une pelouse. Puis, au-delà d'une route en gravier, des massifs de fleurs et des grottes artificielles, et, semblait-il, un green.

Le domaine était vaste, environ un hectare, et entretenu. À mesure que nous approchions de la lumière, nous pouvions voir que les plantations, bien qu'en friche et jaunies par endroits, n'étaient pas totalement à l'abandon. Les formes topiaires, même estompées, restaient visibles et la pelouse n'était pas exagérément haute. Quelqu'un veillait. Ce qui n'était peut-être pas si absurde : un nouveau politicien serait un jour nommé ici pour assumer une nouvelle fonction. Je me souvins de la maison abandonnée près de la rivière. Ici, c'était différent. L'abandon était d'une autre nature. Les gens n'étaient pas tout à fait partis ; seule l'Histoire avait rendu cette coquille temporairement vide en attendant qu'elle retrouve une attribution sous une nouvelle forme.

Elle s'arrêta encore. Je la rattrapai et m'apprêtais à parler mais elle me fit taire d'un geste de la main. Immobile, j'entendis à mon tour.

Cela semblait incroyable : des voix dans le jardin. Elles étaient deux, elles conversaient dans un murmure trop faible pour saisir le moindre mot. Je tendis l'oreille, cherchant à percevoir ce qui se disait. Au lieu de cela, deux bruits distincts se déclenchèrent, que je reconnus sans toutefois y croire. Pas ici, en pleine nuit. Pourtant, les sons persistaient, ne laissant aucun doute quant à leur nature.

C'était absurde. Nous entendions une tondeuse à gazon – un de ces anciens modèles manuels – et une paire de cisailles. Le bruit assourdi de cette étrange industrie en pleine obscurité produisait un autre langage, aussi net et incompréhensible que les deux voix. Difficile de dire avec précision où se déroulait cette activité qui paraissait proche de nous, de l'autre côté d'un mur de feuillage. Le claquement de la cisaille était continu tandis que la tondeuse allait de haut en bas et de bas en haut, et lorsqu'elle atteignait l'extrémité de son circuit, nous entendions la voix de celui qui la poussait lâcher invariablement une note plaintive.

Je touchai le bras de Zanele et fis un geste. Je ne voulais pas me montrer aux jardiniers même si je n'avais plus peur et que la situation était presque ridicule. Pour approcher de la maison, il aurait fallu marcher en pleine lumière, au vu de tous, et nous rebroussâmes chemin vers l'autre côté de l'allée. J'avais de plus en plus envie de rire, à mesure que nous nous éloignions. Notre transgression puérile ne présentait finalement aucun danger, mais alors que je me tournais vers elle pour lui parler, je vis une des statues du jardin, qui en comptait beaucoup disséminées un peu partout, se mettre tranquillement en mouvement et marcher vers nous à pas comptés. En un instant, un monde de dangers menaçait.

Nous étions figés dans l'attente. La statue remonta notre allée sans se presser, jusqu'à ce qu'un rai de lumière venu de la maison révèle la casquette à visière et l'uniforme de garde auxquels je m'attendais.

– Nous n'avons pas commis d'effraction, dis-je.

– La porte était ouverte, dit-elle, on voulait juste voir.

– Oui, on est venus voir, répétai-je.

Nous parlions vite, tous les deux en même temps, et lui restait indifférent à notre nervosité. Il nous considérait, parfaitement immobile. Puis il se balança sur ses pieds d'avant en arrière, passant de l'ombre à la lumière pour rentrer dans l'ombre à nouveau, et pendant ce bref instant je sus qui il était.

Le Général n'était pas général. Avant son coup d'État, c'était un simple capitaine des forces de défense du homeland. Personne n'en avait entendu parler. Seule l'aide d'amis invisibles et haut placés lui avait permis d'émerger ainsi de l'ombre et d'obtenir soudain tant de soutiens et de pouvoirs. Après s'être proclamé Premier ministre, il s'était octroyé un nombre considérable de distinctions honorifiques, y compris son grade et une poignée de médailles.

Il arborait maintenant ce grade et ces médailles, bien que l'uniforme et l'armée auxquels appartenaient ces insignes eussent cessé d'exister officiellement. Il produisait un léger cliquetis en se déplaçant.

— J'ai ouvert la porte, dit-il.

Je me souvenais de sa voix. Calme, monocorde, feutrée. Nettement plus caractéristique que son petit visage ordinaire. Sa voix était inoubliable. Je l'avais entendue à la radio et à la télévision, toujours lisse et vide de sentiment, quoi qu'elle dise. On reconnaissait le ton régulier, mort, même sans discerner les mots.

Qu'a-t-il dit, durant ces quelques brèves années pendant lesquelles il s'est pris pour Dieu régnant sur son petit monde artificiel ? Je serais incapable de citer une seule phrase originale. Non, c'était la rhétorique habituelle sur l'autodétermination et l'avenir radieux, rédigée pour lui, sans doute, par ses maîtres blancs quelque part ailleurs. Pretoria l'avait installé au pouvoir lorsque son prédécesseur avait commencé à devenir gênant, bien qu'il fût beaucoup plus corrompu et vénal. Et il savait ce qu'il avait à faire pour se maintenir en place.

Mais la conjoncture avait été défavorable. Si la situation politique n'avait pas évolué, il aurait peut-être pu se proclamer président à vie et héros du peuple pour les quarante années à venir. Peu après qu'il eut pris le pouvoir, le gouvernement blanc, installé dans la véritable capitale, s'avoua vaincu et l'autorité passa peu à peu en d'autres mains. Deux ou trois ans plus tard, il perdit son poste. Et quelques années après il était là, déguisé pour jouer son rôle en pleine nuit et parader sur une scène vide avec deux figurants à l'arrière-plan.

– Tu sais qui c'est ? dis-je à Zanele.

Elle fit non de la tête.

– Le Général.

– Lui ?

– Oui.

Nous le dévisagions tous les deux. Cette conversation aurait été inconcevable quelques années auparavant. Nous avions parlé de lui avec condescendance, comme s'il n'était pas là. Et nous le regardions avec le même intérêt que l'on porterait à un objet. Lui, il restait imperturbable. Il se balançait sur ses talons, sa petite figure impassible était vide d'expression. Le blanc de ses yeux luisait dans l'obscurité.

En revanche, elle avait changé. Depuis que j'avais entrepris de lui décrire le Général, plus tôt dans la soirée, je m'étais rendu compte que sa fascination contenait un élément proche, à un point troublant, de l'excitation sexuelle. Et c'était ce qui se passait maintenant. Comme si elle était présentée à une célébrité. Quelque chose en elle s'enflammait, s'ouvrait à lui ; elle le regardait différemment ; elle finit par s'approcher de lui.

– Nous voulions voir votre maison, dit-elle.

– Vous voulez voir ma maison ?

– Oui.

– Venez.

Il revint sur ses pas, le long du chemin par lequel nous étions arrivés, en émettant ce tintement métallique. Elle me lança un rapide coup d'œil presque coupable avant de le suivre. Je restai un moment en arrière et les rattrapai lorsqu'ils s'arrêtèrent près des deux hommes en train de travailler dans le jardin.

Les hommes étaient aussi étranges que les sons qu'ils produisaient. Ils portaient des salopettes brunes de l'armée, trop grandes. L'un était un Blanc, un peu plus âgé que moi, avec des cheveux roux clairsemés et un visage bouffi, rougeaud, que je reconnus pour l'avoir vu en photo dans les journaux ; un des « conseillers » affectés par le gouvernement blanc au cabinet du homeland, lors de la destitution du premier Premier ministre. Il avait parcouru un long chemin, depuis le coup d'État militaire jusqu'à l'abolition de l'ensemble de son action, pour finalement pousser une tondeuse, à minuit. L'autre homme était un jeune Noir au visage plaisant ; je ne le connaissais pas. Ils nous observaient, l'air stupéfait, tandis que le Général leur parlait à voix basse. Il leur dit de passer à la zone suivante du jardin ; il allait monter jusqu'à la maison et serait de retour sous peu. Puis il se remit en chemin, nous traînant dans son sillage le long de l'allée centrale jusqu'au large escalier de service et au perron dallé d'ardoises. À travers les portes-fenêtres, on apercevait une pièce vide et sombre, sans meubles.

La maison était vaste, décorée avec ostentation, sans rien d'exceptionnel. Dans une grande ville, c'eût été une luxueuse maison de mauvais goût parmi d'autres. Mais son implantation solitaire surprenait, au sommet d'une colline brune et au centre du cordon de verdure du jardin. Maintenant que nous étions là, si proches, je me demandais ce qu'il y avait à voir.

– Ils ont tout enlevé ? dit Zanele.

– Tout, répondit-il en hochant la tête tristement. Ils sont venus avec trois camions.

– Pour aller où ?

Il haussa les épaules.

– À Pretoria. Ils ont dit qu'ils en prendraient soin. Et qu'est-ce que c'est devenu, aujourd'hui ?

Il secoua la tête dans un mouvement éloquent.

– Parti. Tout est parti.

Nous pouvions le voir à la lumière, maintenant. Il avait beau être rasé de près et répandre un soupçon de parfum, l'altération de son visage était là. Un abrutissement, un avachissement des muscles de l'intérieur, en profondeur. Ses paupières tombaient lourdement.

Elle ne remarqua rien de cela. Sans le toucher, elle donnait l'impression d'avoir la main posée sur son bras. Je compris que j'avais tort de croire qu'il avait perdu son pouvoir. L'homme était toujours dangereux, aussi dangereux que n'importe qui prêt à vous faire tout ce qui lui passe par la tête après vous avoir enfermé quelque part, et la puissance qu'il dégageait avait l'odeur métallique du sexe.

Penchée vers lui, elle dit :

– Est-ce qu'on peut, est-ce qu'on pourrait entrer ?

– Ils ont pris les clés. Ils ont changé les serrures. Ils m'ont jeté hors de ma propre maison.

– Comment avez-vous ouvert la porte du jardin ?

– J'avais gardé la clé, sourit-il lentement. On oublie toujours de changer une serrure.

– Pourquoi vous occupez-vous du jardin ?

– Qui d'autre le ferait ? Je vous le demande : qui d'autre ? Ces gens ? Ils prennent, c'est tout, ils ne savent pas donner. Je viens de temps en temps, une ou deux fois par semaine, pour un peu entretenir.

– Ça doit être difficile pour vous. Tant de souvenirs.

– *Ja*, dit-il. Je n'ai rien oublié. Rien.

– Ça vous dérangerait qu'on fasse un tour ?

– Venez.

Il passa devant elle comme s'il proposait une visite guidée. Alors qu'il n'y avait rien à voir. Seulement une succession de pièces vides, visibles à travers l'épaisseur du verre et les branchages. Ils contournèrent la maison, s'arrêtant à chaque fenêtre pour regarder à l'intérieur. Il disait tout haut la fonction de chaque pièce – « hall de réception », « office », « bureau » – comme s'il énonçait un fait chargé d'une grande signification historique. Or, il était sorti de l'Histoire, désormais, il la voyait de l'extérieur, à travers une fine barrière infranchissable.

Nous avions avancé dans notre tour jusqu'à l'avant de la maison, avec ses colonnes et la guérite, et il fit une pause en haut des marches. De là, on découvrait la ville.

– S'il faisait jour, dit-il, vous pourriez voir ma statue.

Il parlait de celle qui était en bas, au carrefour. Elle vint se placer à côté de lui, scrutant l'obscurité en dessous d'eux.

Je n'existais pas pour eux. Depuis le début de notre courte balade, il ne m'avait pas regardé une seule fois. Elle lui prêtait une oreille bienveillante. Et elle m'inspirait une répulsion croissante qui n'était pas sans rapport avec du désir.

En vérité, la situation était étrange, son intensité faisait converger l'attention sur la petite silhouette perdue qui en était le centre. Le vide de la maison semblait en quelque sorte émaner de lui. Avec son air de mélancolie outragée, il donnait l'impression d'avoir été dépossédé non pas de ce dont il s'était emparé par la force mais d'un droit acquis à la naissance. À cet instant il était difficile, même pour moi, de voir en lui un véritable danger. Il ressemblait à un enfant déguisé venu jouer un personnage imaginaire.

La porte d'entrée était massive ; il s'approcha et tourna la poignée comme s'il pensait qu'elle allait s'ouvrir à nouveau, juste une fois, pour lui. J'étais heureux qu'on ne puisse pas entrer. Suivre ce petit monstre dans les entrailles de son ancien domaine aurait été de trop. Il se dressait telle une ombre en travers de la scène violemment éclairée du jardin où les deux silhouettes continuaient à se mouvoir, en tondant et en taillant. Au-delà du mur, la frise sans vie des lumières indiquait la ville.

– Nous devons partir, dis-je.

Elle entendit l'intonation de ma voix. Elle changea de position, mal à l'aise :

– Bon.

Lui aussi avait entendu. Pour la première fois, il regarda droit vers moi. Derrière l'ivoire brillant de ses globes oculaires, je sentais son mépris.

— Vous n'aimez pas ma maison ? dit-il. Pourquoi êtes-vous venus ici ?

— Pour voir.

— Voir quoi ? C'est du passé, pour vous.

Le silence se fit plus lourd, plus profond. Elle répéta :

— Bon.

Il s'approcha de moi.

— Qu'est-ce qu'ils ont fait de cet endroit ? Rien. Ils m'ont jeté dehors, ils ont pris mes meubles. Trois camions sont venus. Trois.

Il leva trois doigts. Le chiffre semblait important pour lui.

— Ça ne vous appartenait pas.

Il m'ignora.

— Et puis ils abandonnent tout. Ils ne font rien. Si je ne m'occupe pas du jardin, qu'est-ce qui va se passer ? Tout va mourir. Qui coupera l'herbe ? Qui arrosera ? Si je ne surveille pas tout, des vagabonds finiront par s'introduire ici, par vivre dans ces pièces. Ces magnifiques pièces.

— Ça doit être dur, pour vous, dit-elle avec anxiété.

— C'est dur. Très dur. Vivre ici un jour. Vivre sous une tente le lendemain. Un jour, tout est possible. Le lendemain, plus rien n'est possible. Terrible. Terrible.

Il tourna la tête pesamment vers moi.

— Dites-moi, docteur, si vous étiez à ma place, vous n'auriez pas envie de revenir, vous aussi ?

Docteur : le mot tomba froidement en moi, comme une pierre : il était au courant.

— Je ne sais pas, dis-je. Je ne sais pas ce que c'est qu'être à votre place.

Il sourit lentement, à nouveau, découvrant ses grandes dents blanches.

— Je vais vous dire. Les gens, les petites gens, les gens de rien, pensent que j'appartiens au passé. Eh bien, je n'appartiens pas au passé. Mon heure viendra encore.

— Bien, dis-je. Je suis très content pour vous. Nous devons partir. Il est très tard. Linda. Je voulais dire, Zanele.

— Oui, dit-elle. Très bien. Merci. J'ai été contente de vous rencontrer.

Il lui prit la main et s'inclina au-dessus, arborant toujours son grand sourire, cette autre médaille vaine. J'avais déjà descendu la moitié de l'escalier.

Elle me rattrapa alors que j'arrivais au niveau des deux jardiniers. Ils s'étaient déplacés vers un autre périmètre du jardin et le cycle rythmé de la taille et de la plainte avait repris. Ils levèrent sur nous des visages consternés en nous voyant passer ; puis le claquement des lames recommença, derrière nous.

— Moins vite, dit-elle. Pourquoi se dépêcher ?

Je ralentis. Nous refîmes en silence le chemin inverse – jusqu'à la porte du jardin, puis la remontée le long de la maison. Pour rejoindre notre voiture, il fallut longer les deux autres : la noire et la blanche, garées l'une à côté de l'autre, comme le symbole grossièrement évident d'une unité. Je m'étais imaginé qu'elles appartenaient à des amants romantiques – des gens quelconques venus voir la colline – et je savais maintenant que leur chargement était bien plus sinistre. J'éclatai de rire.

— Qu'y a-t-il de si drôle ?

— Ce n'est pas drôle, en réalité.

— Qu'est-ce qui n'est pas drôle ?

Comment expliquer ? Tout se réduisait à nouveau à des idées simples, irréelles. Au début de la soirée, elle avait vu en moi un méchant parce que je lui avais dit que j'avais fait l'armée. Et maintenant, cet horrible petit homme était une sorte d'icône pour elle, simplement parce qu'il avait eu le pouvoir. Peu importe le homeland, la violence, la cupidité ; peu importe la corruption politique et les titres dénués de fondement. Dans l'univers moral limpide habité par Laurence, aucun pouvoir n'était jamais véritablement usurpé.

– Rien, dis-je.

Nous redescendîmes de la colline en silence, regardant droit devant nous, vers les lumières de la ville. Nous retrouvâmes les rues désertes, les immeubles en ruine. En m'arrêtant devant chez Mama, l'incertitude me nouait la gorge : ce silence était-il chargé du vide d'un échec ou d'un trop-plein de possibilités ? En me tournant vers elle, j'eus la réponse. Elle aussi s'était tournée vers moi. Nos bouches se soudèrent furieusement. Et même alors – avant la montée de l'escalier, la chambre au petit lit dur – les échos de la soirée nous accompagnaient, si bien que nous fûmes plus de deux à nous démener dans le noir.

10

En rentrant à l'hôpital, cette nuit-là, je le vis dans le bureau – de garde, assis derrière la table. Bien qu'il ait certainement entendu arriver ma voiture, il n'alla pas à la fenêtre. Et je n'allai pas le voir.

Je ne me sentais pas coupable ; pas encore. La culpabilité est venue plus tard, sorte de graine obscure germant lentement. Cette nuit-là, j'éprouvai une proximité perverse avec lui, l'impression d'avoir rempli un engagement : un contrat passé entre lui et moi, dont elle avait été l'instrument.

Je le vis le lendemain matin, lorsqu'il entra. Il avait les traits tirés, l'air fatigué, mais il ne se coucha pas. Il prit une douche, se rasa, changea de vêtements. Puis il me demanda – d'un ton dégagé, sans insister – comment s'était passée la soirée.

– Oh, très bien. Nous avons mangé chez Mama. Rien de très palpitant.

– Je te remercie de m'avoir aidé, Frank. Tu es vraiment un ami.

J'ignore pourquoi je n'ai pas parlé du Général. Cette partie de la soirée ne me mettait pas en cause. Lorsque je la vis peu après avec Laurence, avant son départ pour le Lesotho, je sus qu'elle non plus n'en avait pas parlé. C'était étrange, il semblait que l'intimité rageuse de la fin de cette soirée eût débuté dans le jardin interdit au sommet de la colline.

— Merci de m'avoir tenu compagnie, dit-elle en me tendant la main. J'ai été ravie de faire ta connaissance.

Tant de convenances, tant d'amabilité. La neutralité de son visage fermé. Je lui serrai la main, sans croiser son regard, et au moment du départ, j'avais trouvé une occupation qui me retenait au bureau.

Laurence sortit avec elle. Cinq minutes plus tard, il était de retour, l'air pensif et préoccupé, et je sentais qu'il me lançait des coups d'œil de temps en temps. Il paraissait lire l'infidélité sur mon visage. Je conservais une expression calme et pure ; j'avais appris, avec Claudia, à dissimuler la trahison.

À la fin de la journée, je savais ce dont j'avais envie. Je pris ma voiture et traversai la ville en direction d'une cabine téléphonique située à l'autre extrémité. J'aurais pu utiliser un autre téléphone, il y en avait un près de l'hôpital, mais cet endroit perdu, à la lisière même des choses, était, d'une certaine manière, le plus approprié pour entendre sa voix.

— Je ne sais pas pourquoi j'appelle, dis-je.

— Qui est à l'appareil ?

— Essaie de te rappeler. Nous sommes toujours mariés, en principe.

— Frank ? Oh, Frank !

Elle paraissait si heureuse que pendant un instant tout sembla à nouveau possible.

— Karen, dis-je. Je pensais à toi.

– Moi aussi, j'ai pensé à toi, Frank. Quelle coïncidence ! J'allais t'appeler. Pour te dire que le document est prêt. Tu peux venir le signer.

Mon esprit était tellement loin de ce sujet que je mis quelques secondes à comprendre qu'elle parlait de notre divorce, de la dissolution de notre mariage.

– Oui, dis-je. Donc, tu veux que je vienne ?

– Ce n'est pas trop te demander, quand même, après sept ans, non ? En général, les gens font ça sans prendre la fuite. Dieu du ciel !

Les vibrations de sa voix querelleuse me parvenaient au bout du fil, du fond de l'obscurité, du fond du passé. La cabine téléphonique se trouvait sur le bas-côté en gravier de la dernière route, à la limite des lumières de la ville. À un pas de moi commençaient les ténèbres et le bush. Je distinguais la découpe ciselée des rangées de feuillages et les légers chuintements qui en sortaient : le vent, les branches, les insectes s'envoyant des signaux les uns aux autres. Je dis :

– Ce n'est pas la peine.

– Comment ?

– De parler comme ça. Tu vas l'avoir, ton divorce. Je ne fuis plus.

Il y eut un silence puis elle se remit à parler, plus conciliante mais sur la défensive.

– C'est bien, Frank. Il faut le faire, il faut accepter de le faire.

– Je vais venir dans quelques jours.

– Quand ?

– Je peux te rappeler ? Je dois m'organiser ici…

– Tu ne peux pas au moins me donner une idée ? On essaie d'organiser nos vies par ici aussi, tu sais.

– Jeudi, proposai-je. Ça irait, jeudi ?

– Jeudi, c'est parfait. J'apporterai les documents à la maison.

– Entendu. À jeudi.

– Frank. Ce n'est pas pour ça que tu téléphonais. Pourquoi tu m'as appelée ?

Je dus réfléchir un moment pour m'en souvenir, et même alors, je n'étais pas sûr de ce qui m'avait poussé à l'appeler. Entendre sa voix simplement. Mais elle ne dirait plus jamais les choses que je voulais entendre ; des choses perdues, enfouies, disparues. Je raccrochai le téléphone et scrutai l'extérieur, dans le noir, le visage collé contre la paroi en plastique de la cabine. Le passé et le futur sont des contrées dangereuses ; j'avais vécu dans un no man's land entre ces deux frontières pendant ces sept dernières années. Je sentais que j'avançais à nouveau et j'avais peur.

Je repris la voiture, roulai doucement jusqu'à la baraque de Maria. Je ne savais pas non plus ce que j'allais chercher là-bas. Je n'avais aucun but, aucune place. Je m'assis sur une caisse dans un coin en me frottant le front.

– Vendredi, samedi, tu ne viens pas, disait-elle. Pourquoi, pourquoi ?

J'étais avec la petite amie de Laurence. Je ne l'ai pas dit. Ces questions avaient leur place dans une relation normale ; pas ici.

– J'étais très occupé. Au travail.

– Au travail.

– Oui.

Elle était assise un peu à l'écart, dans l'ombre. La lampe près de moi répandait une lumière vive.

– Ce soir, tu viens tôt. Pourquoi ?

Il était six ou sept heures – très tôt par rapport à l'heure habituelle de mes visites. Je ne m'en étais pas rendu compte et je dis :

– Je dois rentrer de bonne heure. Il faut que je dorme. Je suis très fatigué.

– Fatigué.

– Oui. Maria, pourquoi tu ne m'as pas dit qu'il était venu ?

– Qui est venu ?

– Laurence. Mon ami. Il dit qu'il est venu ici, dans le village derrière ton magasin. Plusieurs fois. Pourquoi tu n'as rien dit ?

Elle secoua la tête, son visage renfrogné n'exprimait plus rien. Non, dit-elle, elle ne l'avait pas vu. Elle ne savait pas de quoi je parlais.

Est-ce qu'elle mentait ? Je la regardai fixement pour savoir. Je remarquai alors, pour la première fois, qu'elle était malheureuse.

– Que se passe-t-il ? dis-je.

Non, rien, il ne se passait rien.

Un moment plus tard, une larme coula sur sa joue. Je me levai et m'approchai d'elle mais elle se détourna.

– Qu'est-ce que c'est, Maria ? Qu'est-ce que c'est que ça ?

Elle avait une ecchymose sur le côté du visage. Et je compris qu'elle avait cherché à la dissimuler en s'asseyant loin de la lampe, en gardant la tête de côté.

Non, disait-elle, ce n'était rien.

– Qu'est-ce que tu veux dire, rien ? Comment ça, rien ? D'où ça vient ?

— Non, non.

Elle fit un signe de rejet ; une autre larme coula. Soudain, je compris les questions qu'elle avait posées à mon arrivée. *Tu ne viens pas. Pourquoi ? Pourquoi ?* J'essayai de passer mon bras autour d'elle mais elle se leva pour ranger les animaux en bois sur les étagères. Après quelques minutes, elle dit :

— Tu pars, maintenant.

— Je veux rester.

— Non. Maintenant c'est danger. Problème, problème.

— Je peux revenir plus tard ?

Elle secoua la tête.

— Tu pars, c'est mieux. Demain tu viens.

Je me levai, frottai la poussière de mes genoux, embarrassé et honteux. Ne sachant que faire, je cherchai de l'argent dans mes poches. Je le lui remis : cinquante rands. Cette nuit, pour la première fois, elle n'en voulait pas ; elle semblait presque ne pas le voir ; elle secoua une nouvelle fois la tête. Elle voulait autre chose.

— Tu viens demain soir ?

— Oui.

— Tu promets, demain ?

— Oui, dis-je, et je le pensais du fond du cœur tandis qu'elle me regardait comme si je mentais.

Le lundi matin avait lieu, dans le bureau, la réunion du personnel. En théorie, il s'agissait de discuter des patients, de se concentrer sur les cas difficiles pour améliorer les soins, de formuler les problèmes, d'échanger des idées. En pratique, les choses se passaient tout autrement : on répartissait les tâches, le docteur Ngema disait quelques mots, chacun repartait.

Or, ce matin, le docteur dit :

– Il y a… une communication spéciale, aujourd'hui.

Nous la regardâmes tous. Elle changea de position, embarrassée, et désigna Laurence.

Il prit un air important. Il portait ses plus beaux vêtements et les mèches humides de ses cheveux peignés et repeignés brillaient en rayures bien séparées. Sa blouse blanche était boutonnée avec rigueur, jusqu'au menton. Il se leva, une liasse de papiers à la main.

– Hum. Oui. Merci. Je voudrais seulement dire que jeudi… jeudi prochain, le matin… je vais ouvrir un dispensaire dans un village près d'ici.

Une légère consternation se répandit dans la pièce. Quelques bruits de chaises déplacées, des froissements de papier.

– Pardon ? dit Claudia.

– Un dispensaire. Nous allons ouvrir un dispensaire.

Jorge toussa :

– Je ne comprends pas. Tu veux… ?

Dans le silence pointait un embryon de désarroi. Les traits de Laurence s'étaient légèrement défaits et il regardait ses papiers comme si la réponse y était inscrite.

Le docteur Ngema toussa ; nous nous tournâmes vers son visage pincé.

– C'est une idée, dit-elle, une idée avancée par Laurence. C'est une… une très bonne idée, je crois. C'est totalement bénévole, bien entendu. Ceux d'entre vous qui souhaitent collaborer, apporter leur aide, sont les…

— Bienvenus, dit Laurence, toujours debout.

— Je serai personnellement dans l'impossibilité de venir, dit le docteur Ngema. J'ai d'autres obligations professionnelles ce jour-là.

— Je ferais peut-être bien d'expliquer, dit Laurence. J'envisage de faire une présentation. Je ne suis pas encore sûr à cent pour cent, il y a tellement de choses… J'ai pensé à un exposé sur l'hygiène, les questions sanitaires, vous voyez, puis un exposé sur le sida. Ensuite, une distribution de préservatifs, c'est à peu près tout ce que nous pouvons distribuer à ce stade, le reste suivra, j'en suis certain. Hum, et puis viendra le moment où les gens feront la queue afin de voir l'un de nous pour tout et n'importe quoi. Voilà, c'est tout. Ah oui, ce sera dans un village à côté d'ici, j'ai oublié le nom, je l'ai écrit quelque part…

Un silence abasourdi s'ensuivit.

— Excuse-moi, dit Claudia, mais à quoi ça va servir, à quoi ?

Laurence dit :

— J'ai pensé que ce serait un moyen d'attirer l'attention sur l'hôpital, afin que les gens sachent que nous sommes là. De faire vraiment quelque chose.

Une parole malheureuse ; le silence après cela était glacial. Il se rassit, l'énergie de la pièce était entièrement retombée.

J'attendis quelques secondes avant de lever la main pour dire :

— Je soutiens totalement cette idée, cette initiative de Laurence. Même si je crains de ne pouvoir y participer.

Je sentais le regard de Laurence posé sur moi.

— Qu'est-ce qui se passe, Frank ? dit le docteur Ngema.

Étais-je à la recherche de quelque chose ? Sans avoir aucune idée en tête, j'eus, dès la porte franchie, la conscience d'une chose grave, d'un état d'alarme. De vigilance.

C'était la dernière porte au bout du couloir. Personne n'avait jamais songé à réparer l'éclairage qui ne fonctionnait plus depuis longtemps. En cette fin de journée, je me retrouvais dans le noir tandis que je frappais à sa porte. Il n'y eut pas de réponse. Pensant qu'il dormait, je frappai plus fort et la porte céda légèrement sous ma main.

Elle n'était pas fermée. À travers la fente, je vis le bord d'un lit défait et, sur une table, des cendriers et des pelures d'oranges. Je tendis la main, appuyai sur la porte du bout des doigts – comme si ce n'était pas moi, comme si le vent la poussait. Elle s'ouvrit un peu plus. Je passai la tête et l'appelai. Le lit était vide, personne ne sortit de la salle de bains.

L'endroit était répugnant. Des détritus jonchaient le sol – vieux paquets de cigarettes, bouteilles vides, verres sales. Les draps avaient une apparence douteuse. Des magazines traînaient partout et des relents de fumée, de sueur et de lassitude stagnaient dans l'air.

J'entrai en l'appelant une nouvelle fois, même si je savais qu'il n'était pas là : comme si un pouvoir magique me faisait franchir le seuil. Et à cet instant, l'après-midi au-dehors et la raison de ma présence ici s'évanouirent ; j'entrais dans un lieu au-dedans de moi, dans une petite pièce sordide de mon propre cœur où était gardé un secret.

Bien sûr, la chambre était celle de Tehogo – je le voyais bien. D'une certaine manière, et malgré son absence, je voyais peut-être Tehogo pour la première fois. À l'hôpital, sa présence était énigmatique, maussade, opaque, faite d'attitude plus que de personnalité... alors qu'ici, mes yeux découvraient les traces d'une nature cachée. Les revues éparpillées par terre étaient des magazines féminins remplis d'images de mode et de rêve et il en avait découpé certaines qu'il avait collées sur les murs. Des couchers de soleil, des plages, des paysages vaporeux et improbables. Des femmes posant en sous-vêtements ou dans des tenues affriolantes. Il se dégageait de ces images un désir sentimental et pathétique. Près du lit, au centre d'un petit espace dégagé sur la table, la photo encadrée d'un couple âgé. Visiblement habillés pour la circonstance, raides et embarrassés dans leur costume du dimanche, ils posaient bien droit et légèrement écartés l'un de l'autre, devant une maison. Ses parents ? Impossible à dire, mais c'était le seul objet qu'il avait tenté de mettre en valeur au milieu du désordre.

Mes yeux regardaient ailleurs, regardaient partout. Ce fatras hétéroclite était tellement perturbant que je mis quelques minutes à voir. Maintenant que j'avais vu, le reste devenait superflu, de l'anecdote pour détourner de la vérité. Et la vérité, c'était une multitude de petits éléments métalliques, tuyaux et robinets, morceaux de lit, en tas ou en pile, ou encore appuyés les uns aux autres. La chambre en était pleine. Dès lors, je savais.

Je quittai silencieusement la pièce sans laisser les cassettes et refermai la porte derrière moi. Peu après, je croisai Tehogo en train de pousser un chariot en sifflotant dans le couloir du bâtiment principal et je lui dis bonjour.

11

Le docteur Ngema avait modifié le planning. Je ne partis cependant pas le mardi. Plusieurs choses me tracassaient. Mardi soir, Laurence et moi étions dans la salle de loisirs en train de regarder la télévision, chacun plongé dans ses pensées, et je lui proposai d'aller boire un verre chez Mama.

– Non, je ne crois pas, Frank. Pas ce soir. Je n'ai pas envie.

– Viens, c'est ma tournée. J'ai quelque chose à te dire.

Il dressa l'oreille. Les potins et les intrigues ; de quoi lui changer les idées. Arrivés chez Mama, nous fûmes tous les deux transportés par l'ambiance, l'énergie. Difficile d'imaginer que cette petite cour – tellement pleine de lumière et de monde – se trouvait au milieu de tant de vide et de désolation. Vous quittiez les ténèbres pour entrer dans la chaleur, les éclats de voix, la musique tonitruante.

– Qu'est-ce qui se passe ? dit Laurence. Il y a une soirée ?

– Il y a eu quelques changements, depuis la dernière fois que tu es venu.

Il avait entendu parler des soldats. Il ne les avait jamais vus, ni imaginé que leur présence changerait quoi que ce soit. Moi-même, j'étais surpris de ce qui se passait : il y avait au moins deux fois plus de monde, deux fois plus de bruit qu'avant. Il semblait bien que quelque chose avait changé.

— Je vais bientôt avoir un billard, dit joyeusement Mama en sortant deux chaises supplémentaires pour nous. Les affaires marchent.

Je sentis un regard posé sur moi et je vis le colonel Moller dans un coin de la cour, seul à une table, un verre devant lui.

— Ils font vraiment quelque chose, ces soldats ? Ou bien ils passent leur temps ici, à boire ?

Elle prit un air offusqué.

— Ils travaillent beaucoup. Tous les jours, ils partent à la recherche de gens.

— Ils ont déjà attrapé quelqu'un ?

— Je n'en sais rien, dit-elle en souriant et en haussant les épaules.

Cet aspect de leur présence ne la concernait pas. Elle déposa nos boissons et disparut dans la foule animée et bruyante.

— De quoi voulais-tu parler, Frank ? Du dispensaire ?

— Oh, non, non. Ça n'a rien à voir. Je suis devant un dilemme éthique.

— Vraiment ? Raconte.

Et je lui ai raconté — simplement et sans fioritures — comment j'étais entré dans la chambre de Tehogo et ce que j'y avais vu. À la fin de mon récit, son visage était le même. Puis il changea. Il avait fallu un temps à sa compréhension pour percer comme si un doigt dérangeant s'était enfoncé dans sa vision ordonnée du monde.

— Tu veux dire…

Je hochai vigoureusement la tête.

– Qu'il a volé… ? Qu'il a pris… ? C'est lui ?

– Eh bien, on dirait, non ? Il y a peut-être une autre explication, évidemment…

– Quelle autre explication ?

Je haussai les épaules.

– Non, il n'y en a pas. Il n'y a pas d'autre explication. Oh là là, Frank, je n'arrive pas à y croire.

Il était devenu pâle. Il avait l'expression choquée de celui que l'on force à regarder en face ce dont il a cherché à nier l'existence. Puis son visage s'éclaira.

– Mais, quel est ton dilemme ?

– Enfin, manifestement… je ne sais pas quoi faire.

– Tu ne sais pas quoi faire ? Tu dois le dire au docteur Ngema.

– Ce n'est pas si simple, Laurence. Il faut prendre en compte certaines questions.

– Comme quoi ?

– Comme le passé de Tehogo. Il a vécu des moments très durs. Ce ne serait pas juste de le…

– Mais il vole.

– Oui.

– C'est la seule question. Il n'y a pas à s'occuper d'autre chose.

Tellement facile : une seule question, les contradictions et les complexités réduites à un unique point d'aiguille moral. C'était Laurence, ça. Les choses étaient bonnes ou mauvaises, de façon claire et définitive, et vous agissiez en conséquence.

– Je ne crois pas que ce soit si simple, dis-je avec une triste satisfaction.

— Pourquoi ?

Son visage exprimait à nouveau une indignation mêlée de désarroi ; en équilibre au-dessus d'un abîme, il était attiré par une force de gravité ténébreuse.

— Laisse tomber. On ne voit pas les choses de la même façon.

— J'essaye de comprendre, Frank. Dis-moi !

— Je ne sais pas comment t'expliquer.

— Tu es trop bon, Frank. Trop sensible aux autres.

— Quoi qu'il en soit, c'est mon problème.

Pourtant — et bien que nous ayons cessé d'en parler — je me rendais compte que je m'étais déchargé du problème sur lui. Il parut troublé et préoccupé le reste de la soirée alors que je me laissais imprégner par les grivoiseries et le brouhaha. Je passai une bonne soirée.

Le lendemain, tandis qu'il me regardait jeter quelques vêtements dans ma valise, il revint à la charge.

— Tu as décidé, demanda-t-il timidement, tu as réfléchi à… ce que tu vas faire ?

— Rien du tout.

— Il vaudrait mieux réagir assez vite, avant qu'il soit trop tard.

— C'est bien ainsi.

Il semblait peiné.

— Alors, rien ne va changer. Il va continuer à se servir, à voler…

Je m'assis en souriant.

— Tu t'en fais vraiment pour ça ? Ce n'est jamais qu'un bâtiment à l'abandon, si tu réfléchis bien.

— Non ! Je veux dire, si… Je m'en fais.

– Je pense que, dans ce cas, les sentiments humains sont plus importants.

Après un silence, il dit, d'un ton embarrassé ·

– Tu sais, je peux le faire, si tu veux.

– Faire quoi ?

– Signaler... ce qui s'est passé.

– Tu n'as rien vu, toi.

– Oui, je sais bien, mais... il faut faire quelque chose. Si c'est trop difficile pour toi... je me suis dit que...

Il était aux prises avec ce dilemme éthique devenu le sien et je le regardais de haut se débattre dans le monde réel. Je dis :

– Je ne sais pas. Je ne crois pas que ce soit bien.

– C'était une idée, c'est tout, Frank. Je ne mentionnerai pas ton nom.

– Bon, dis-je. Tu dois écouter ta conscience, Laurence. Fais ce qui te semble le mieux.

Nous n'en parlâmes plus mais il parut soudain soulagé. Je l'étais aussi. Le futur prenait forme, sans mon empreinte ; et une complicité involontaire nous rapprochait.

Il dit :

– Tu as le temps de faire une partie de ping-pong avant de partir ?

– Hum. D'accord. Je ne pars que ce soir, de toute manière, je préfère rouler la nuit.

Dans la salle de loisirs, alors que nous bondissions dans le soleil en nous renvoyant la balle de part et d'autre de la table, tout était presque comme avant – sympathique et amical, une relation plaisante. Puis nous en avons eu assez. Il jeta sa raquette et s'effondra dans le canapé en écartant une longue mèche de cheveux qui lui tombait sur les yeux.

– J'ai reçu une lettre de Zanele, annonça-t-il.

– C'est bien.

– Elle me quitte. Elle dit que c'est fini.

– Je croyais que vous aviez plein de plans, de projets.

– Moi aussi.

– Qu'est-ce qu'elle dit ?

Pour la première fois de la journée un sentiment réel affleura sur son visage ; un chagrin lointain, pareil à un tremblement souterrain.

– Oh, tu sais. C'est artificiel… rien n'a jamais marché… séparés trop longtemps, plus vraiment de relation.

Son expression se referma.

– Le truc habituel. Du bla-bla.

Maintenant, elle était là : la culpabilité se répandait en moi telle une tache. J'évitais son regard.

– Je suis désolé pour toi, Laurence.

– Ça va, dit-il en haussant les épaules. Ce qui est drôle, c'est que ça ne me fait pas grand-chose. On s'imagine qu'on aime à la folie et, quand c'est fini, on découvre que ça n'avait pas d'importance.

– Parfois, c'est vrai.

– Le travail, dit-il. Le travail, il n'y a que ça qui compte.

Il le pensait vraiment. Debout, je baissai les yeux vers lui, assis sur le canapé, réfléchissant à ça. Il était presque asexué ; le travail était sa seule véritable passion. Pour moi, jamais le travail n'avait eu une telle signification : ce n'était qu'une forme parmi d'autres d'agitation futile qui ne menait nulle part.

Il dit brusquement :

– Je suppose que tu penses à ta femme.

Je fus pris de court ; je ne pensais pas du tout à elle.

– Qu'est-ce qu'on ressent quand on est marié ?

Incapable de répondre quoi que ce soit, je me souvins de la nuit qui avait suivi le mariage. Nous étions partis en voyage de noces. La femme devenue en quelque sorte l'autre moitié de ma vie était dans la salle de bains et soudain le monde extérieur à la chambre m'avait lui aussi paru étrange, inconnu, voire dangereux. J'éprouvais un sentiment de panique indissociable du bonheur. Une sensation intense qui se dissipa vite.

Je dis :

– Je n'ai pas envie d'en parler.

Au commencement de ma longue route, cette nuit-là, je vis, aux alentours de la ville, trois choses qui s'associèrent dans mon esprit. La première était sur la petite portion de route secondaire, avant d'atteindre la route principale. Chaque fois que j'atteignais le tournant depuis lequel on voyait l'ancien camp militaire, je ralentissais ; d'habitude, il n'y avait rien à voir, seulement le bush et l'obscurité, mais cette nuit une lumière brillait. Cela pouvait être un feu ou une lampe ; un point incandescent presque enfoui dans le noir. Puis il s'éteignit, à moins que je ne l'aie dépassé.

Je me mis à réfléchir. Dans ce que le Général avait dit à Zanele, la nuit, dans le jardin, quelque chose me tracassait : *C'est dur. Très dur. Vivre ici un jour. Vivre sous une tente le lendemain.*

Évidemment, une tente se démonte, se déplace : il parlait peut-être d'un endroit ailleurs, n'importe où. Cependant, l'ancien camp militaire avait conservé ses tentes, au moins deux ou trois d'entre elles, et il venait de là, après tout. Son fantôme avait toujours eu une densité particulière ici, plus imposante ; et je m'interrogeais.

Je repensais aux deux hommes en train d'entretenir le jardin, à leurs salopettes militaires brunes, et j'y pensais toujours lorsque plusieurs autres uniformes de l'armée se détachèrent dans la lumière des phares. Des uniformes nouveaux, la nouvelle armée ; pourtant, pendant un moment, ce fut comme un retour aux temps anciens, avec des soldats surgis de la nuit, l'arme à la main. Un alignement de lumières sur la route, des barrières métalliques en travers de l'asphalte, une torche électrique me faisant signe de me garer sur le côté. Un barrage routier. Ici, c'étaient le colonel Moller et ses hommes, ils faisaient un travail différent. Je reconnaissais les corps bien droits que j'avais vus en rang le long du bar et qui, cette nuit, fouillaient les coffres et les vide-poches des voitures sous la protection d'autres hommes armés de fusils. L'homme noir qui m'interrogea était alerte et poli. D'où venez-vous ? Où allez-vous ? Ouvrez votre coffre, s'il vous plaît, je voudrais jeter un coup d'œil.

En redémarrant, je cherchai à apercevoir le colonel Moller. Sans le voir, je le sentis très proche, un autre genre de fantôme qui suivit avec moi les méandres de la route jusqu'à la baraque de Maria.

Et là, elle se produisit. La troisième chose. Je n'étais pas allé voir Maria le soir où j'avais promis de le faire, ni les soirs suivants. Trop préoccupé par ce qui se passait à l'hôpital – Tehogo et les vols – et certain que la baraque serait toujours là quand je me déciderais à y aller. Je projetais de m'y arrêter ce soir, en partant, lorsque je vis la voiture blanche garée devant.

Et c'était ça : la voiture blanche. Une image arbitraire que je portais en moi sans y penser et qui me rappelait maintenant, en un flash intérieur éblouissant, la voiture blanche arrêtée près de la maison du Général, sur la colline. Sans même savoir si cette autre voiture ressemblait à celle-ci, j'eus la certitude qu'il s'agissait de la même.

Une certitude immédiate – puis mêlée de doute... mais la relation était établie. Et la sensation que j'éprouvais, alors que je roulais interminablement dans le noir submergé par une inquiétude immense, était d'être aux prises avec les pièces d'un puzzle complexe qui me dépassait et m'échappait.

Je roulais la fenêtre baissée pour que le vent chaud entre dans la voiture. Je montais et descendais au gré de la route et quittai rapidement la forêt pour pénétrer dans les prairies du veld. La nuit était gigantesque ici, une immense toile tendue sur le fil de l'horizon. La voiture suivait les aléas du relief obscur dans la lumière dérisoire des phares. Être si petit avait quelque chose de rassurant. À un endroit, le veld brûlait. Le feu se voyait de loin et, en m'approchant, je distinguai un rassemblement de gens et de voitures. Une fumée noire bouillonnait et tourbillonnait dans la lumière jaune artificielle des flammes, très hautes et très intenses. Je ralentis mais on me fit signe d'avancer et la chaleur du feu me fouetta le visage tandis que l'étrange soleil de minuit disparaissait dans le rétroviseur.

Puis les petites villes, retranchées, endormies, les volets clos. D'autres routes rejoignaient celle-ci, la nourrissaient, l'engraissaient. Des pylônes et des cheminées à l'assaut du ciel. Des garages éclairés par des néons avec des gardiens tremblants assoupis dans leur cabine. Au loin, les braises des villes brillaient comme des monceaux de charbon incandescent. Autant d'éléments d'un monde étranger qui venaient à ma rencontre et s'assemblaient pour créer une image du passé.

J'arrivai au lever du jour. Je ne me rendis pas directement à la maison. Roulant quelque temps au hasard dans les rues de la banlieue, j'éprouvais la présence des gens dans les maisons, derrière les murs, dans les jardins. Même les premiers frémissements d'activité – quelques voitures, un ou deux ouvriers sur le trottoir – me donnaient l'impression d'un lieu anormalement peuplé.

Mon père vivait au sud de la ville, dans une banlieue riche et privilégiée. De larges rues bordées d'arbres, un quartier lumineux et aéré. J'avais grandi dans cette propriété depuis ma prime adolescence, encore que le jardin eût été amputé de sa moitié inférieure, vendue depuis. Autre changement, un mur avait poussé autour de la propriété. À mon époque, c'était seulement une barrière. Maintenant, le mur semblait grimper à n'en plus finir.

Ma belle-mère répondit par l'interphone à mon coup de sonnette.

– C'est Frank junior, dis-je, et la porte s'ouvrit pesamment en basculant sur ses gonds massifs.

Je me garai devant le garage, en haut de l'allée. Une végétation d'un vert luxuriant proliférait sous les arbres imprécis surplombés par le château en brique.

Elle vint à ma rencontre, dans une tenue savamment décontractée, le visage lourdement maquillé. Pourtant, son maquillage ne pouvait dissimuler une infime zone de tristesse dans son expression. Valérie, la quatrième femme de mon père, était plus jeune que moi de quelques années. Nous n'avions jamais trouvé le bon registre pour nous parler.

Elle m'embrassa gauchement sur la joue.

– Papa est dans son bain. Tu as fait bon voyage ? Tu as besoin d'aide, pour tes bagages ? Tu dois être fatigué.

Son anxiété m'escorta jusqu'en haut des marches et à l'intérieur de la maison. Deux bonnes virevoltaient servilement en uniforme bleu et tablier à volants, leurs pieds nus avaient l'air de ménager les tapis. Il y en avait de nombreux, aux motifs orientaux énigmatiques ; la passion de mon père.

– Laisse-moi te regarder. Oh, tu ressembles de plus en plus à Papa.

J'aurais aimé qu'elle ne l'appelle pas ainsi, comme s'il était notre père à tous les deux ; elle était déjà tellement pareille à une sœur, avec son petit visage fardé et soucieux qui cachait une rivalité secrète avec moi.

– Tu peux t'installer dans ton ancienne chambre, Frank. Je n'ai touché à rien.

Chacune des femmes de mon père avait tenu à refaire la maison – une façon, peut-être, de marquer le territoire lors d'un séjour qu'elles sentaient temporaire. Depuis que j'avais quitté les lieux, ma chambre avait été plusieurs fois arrangée et repeinte, et ce que Valérie estimait être la préservation du petit refuge de mon enfance avait consisté à pendre au plafond mes vieilles maquettes d'avions et à exhiber sur l'appui de fenêtre des photos d'école embarrassantes. Frank dans la cinquième équipe de rugby. Frank en délégué de classe serrant la main du directeur. Autrement, la pièce était aussi jolie et impersonnelle qu'une chambre d'hôtel de catégorie moyenne, pleine de couleurs et de tissus dont ma mère n'aurait jamais eu l'idée.

– Tu veux prendre une douche après ce long trajet ? Tu dois être fatigué, tu veux te reposer ? Tu veux un petit déjeuner ?

Assis dans le patio, à l'arrière, je buvais du café. J'entendais mon père dans la salle de bains, il barbotait en chantonnant. À un moment, il rota. Il semblait de bonne humeur. Valérie vint et fit mine d'arranger les plantes en pot sur l'escalier avant de donner des instructions à un jardinier dissimulé dans les feuillages. Elle retourna s'activer à l'intérieur, puis, entendant mon père s'approcher, elle ressortit avec son café et s'assit à côté de moi.

– Tu restes combien de temps, Frank ?

– Un jour ou deux. Je suis venu voir Karen.

– Karen ? Oh, c'est bien.

Sa voix pleine d'espoir avait monté d'un ton.

– Non, non.

Avant que j'aie pu lui expliquer, mon père arrivait dans le patio. Frank Eloff père avait une bonne soixantaine d'années mais sa voix et son corps en paraissaient quinze de moins. Un long corps massif et nonchalant, un beau visage portant toujours la trace, si légère fût-elle, d'un sourire. Il était élégant, apprêté avec un soin minutieux – déjà rasé et parfumé, dès le début de la journée, dans sa robe de chambre en cachemire et ses babouches. Il me serra la main, sa façon habituelle de saluer mes arrivées et mes départs même quand j'étais enfant, et la sienne avait gardé un peu de la moiteur de la salle de bains ou de sa lotion capillaire.

– Frank !

– Papa.

– En voilà une surprise. De te voir, je veux dire. J'espère que tu vas prendre de vraies vacances, pour une fois.

– Non, ce ne sont pas des vacances, Papa. Je dois m'occuper d'une affaire personnelle.

– Une affaire personnelle.

– Il vient voir Karen, dit Valérie d'un ton un peu pincé.

– Ah bon ?

– Je suis ici pour signer les papiers du divorce, dis-je, et l'ambiance retomba nettement dans le patio.

De l'avis de mon père, ma séparation d'avec Karen était à l'origine du déclin de ma carrière, et il avait fréquemment exprimé le souhait de nous voir à nouveau réunis.

J'entendis le « Oh » de Valérie.

– Eh bien, Frank, je suis désolé d'entendre ça.

Mon père prit son air sombre, qui n'effaça pas totalement son sourire, et baissa la voix.

– C'est définitif ? Qui a pris cette décision ? Il ne vaudrait pas mieux attendre encore un peu ?

– C'est sa décision. C'est définitif, oui. Ils vont se marier et partir en Australie.

– Ah. Bon. Oui. Beaucoup de jeunes s'en vont. C'est triste.

– Moi, je pourrais partir, annonça Valérie. Dès demain. Mais ton père ne veut pas en entendre parler.

– Ça reste le plus beau pays du monde, dit-il en souriant. La meilleure qualité de vie. Maintenant, je dois m'habiller.

Le soleil matinal était déjà très chaud dans le patio et pendant que mon père s'habillait nous sommes allés dans son bureau. La plus grande pièce de la maison, tapissée de livres, où les témoignages des grands moments de sa carrière étaient bien en vue. De mes années d'adolescence je garde comme souvenir le plus marquant – il s'agit en réalité d'une succession de souvenirs mêlés et non d'un seul – nos face-à-face de part et d'autre de son bureau, et, derrière lui, cette accumulation de photographies et de publications qui l'auréolait, tel un nuage.

J'approchai pour les regarder de plus près. La plupart des photos montraient Frank père vers quarante ans, avec son large sourire étincelant et ses cheveux peignés en arrière. Sur certaines, il posait avec des acteurs ou des hommes politiques en vogue vingt ans auparavant. Je fus surpris de découvrir quelques photos récentes ; on ne l'avait pas encore oublié.

Mon père avait eu son heure de gloire, à l'époque. Un destin peu commun pour un médecin. Il avait su saisir l'opportunité qui s'était présentée. Enfant d'une famille pauvre, né dans une petite ville, il avait pu étudier la médecine grâce à une bourse d'une compagnie minière. Son diplôme obtenu, il exerça dans une des mines de cette compagnie. Des débuts difficiles : sa situation avait basculé à l'occasion d'un terrible accident survenu sous terre qui l'avait propulsé sur le devant de la scène. Mon père avait passé quarante-huit heures d'affilée accroupi dans un tunnel effondré à réduire des fractures, pratiquer des amputations, recoudre des plaies. Il avait sauvé la vie de six ou sept mineurs qui seraient presque certainement morts sans lui.

La réussite était réelle. Un quart de siècle plus tard, il est malgré tout difficile de ne pas l'envisager d'un regard cynique.

À l'époque, le grand rêve blanc virait au gris ; ils avaient besoin d'une tête d'affiche, de se donner une bonne image, et pendant un temps ce fut Frank père. Il offrait une bonne image. Avec sa mèche rebelle et son sourire tout en dents, il avait le panache d'un jeune premier. Les médias se sont emparés de lui. Des articles en une des journaux nationaux, des interviews à la radio, des magazines retraçant sa dure lutte sur le chemin du succès. Peu importaient les mineurs retournés à leurs obscurs souterrains ; mon père était le héros du jour.

Tout aurait pu retomber aussi rapidement que c'était survenu s'il n'y avait eu la télévision. Elle en était à ses débuts, en Afrique du Sud, et après l'avoir aperçu au journal télévisé, quelqu'un décida que mon père serait l'animateur idéal d'une nouvelle émission. Un jeu concours autour de thèmes médicaux dont Frank père incarnait l'onctueux maître de cérémonie en interrogeant différentes personnalités locales. Le public adorait cette émission et l'adorait lui. L'attention des médias ne cessa de croître. Des lettres de fans arrivaient par paquets entiers à la maison. Au milieu de tout ça, ma mère mourut et je crois sincèrement qu'il s'en est à peine rendu compte – malgré une augmentation de ses apparitions dans la presse pour l'occasion.

En dépit du battage médiatique, il parvint à mener une carrière sérieuse. Plus à la mine ; il avait fait du chemin, depuis. De l'avis général, c'était un chirurgien doué et il était très demandé. Bien entendu, cette publicité avait été loin de lui nuire. Il avait entrepris de commercialiser ses propres produits – des lotions destinées à lisser les cheveux et éclaircir la peau des Noirs, ainsi qu'une gamme de crèmes cosmétiques pour les femmes blanches. Ils continuaient à se vendre et à lui rapporter de l'argent.

Une ascension spectaculaire et improbable vers une gloire qui ne ternissait toujours pas. Il était encore fêté, invité, courtisé et exhibé lors d'événements particuliers, donnant des conférences, participant à des débats. Que du show. Personne ne se souciait de ce que l'unique exploit de mon père avait eu lieu cinq, dix ou trente ans auparavant sans qu'il eût rien fait de bien depuis. Non, il resterait à jamais jeune et brillant.

J'ai subi cette pression. Il fallait que je fasse mes preuves. J'imaginais non seulement que je voulais être comme lui mais que ce serait facile. Évidemment, les choses ne s'étaient pas passées ainsi, et les photos et les textes accrochés au mur me faisaient l'effet d'un jugement.

Je m'assis en l'entendant arriver. Il était en tenue de golf, pantalon et chemise à manches courtes.

— J'espère que tu ne m'en veux pas, Frank, j'avais prévu cette partie avant de savoir que tu venais.

— Pas de problème. Je vois Karen ce matin, de toute manière.

— Qu'est-ce qui se passe exactement avec Karen ?

Il prit une pose sérieuse, derrière son bureau.

— Tu veux que j'en touche un mot à Sam ?

Sam était le père de Karen, un vieil ami de mon père.

— Comment ? Non, non. Ça ne changerait rien.

— Tu es sûr ? Une petite allusion discrète…

— Je vous laisse à votre conversation, dit Valérie.

— Non, non. Je refuse catégoriquement.

J'avais parlé d'une voix ferme. C'était la dernière chose dont j'avais envie : un mot en douce de mon père, comme s'il avait le pouvoir de tout régler. Mais il n'aimait pas qu'on lui parle ainsi. Il s'emporta contre Valérie.

– Ces fleurs sont fanées.

Il faisait allusion à un gros bouquet qui virait au brun sur la cheminée.

– J'ai dit à Betty de les enlever.

– Eh bien, tu lui redis. Je ne veux plus voir ça ici.

L'autre face de son charme communicatif, c'était cette humeur colérique, entièrement centrée sur lui-même. Je me levai.

– Je vais prendre une douche et me changer. On se verra plus tard.

– Je n'essaie pas d'interférer, Frank. Tu le sais.

– Bien sûr, Papa, je le sais.

J'allai dans ma chambre prendre une douche, me raser et m'habiller.

Pendant tout ce temps, des sons se propageaient dans le vaste espace de la maison : les vibrations de la machine à laver, le bourdonnement de l'air conditionné, l'agitation quasiment silencieuse des femmes de ménage. Des sons étrangers qui affleuraient à ma mémoire, venus de loin. Et dans le miroir de la salle de bains, le visage qui m'observait offrait le même mélange d'étrangeté et de souvenir familier. En le regardant bien, on reconnaissait le collégien des photos de l'appui de fenêtre. Devenu quelqu'un d'autre. Le teint rosé avait disparu, les cheveux étaient plus rares et plus sombres, la chair des joues et de la gorge plus lourde. Un visage sur un lent déclin, en train de s'affaisser, de se dissocier de son ossature, où saillaient les veines, les grains de beauté, les imperfections. Vous pouviez déjà y voir un vieil homme et son expression portait la marque de l'échec.

Karen et Mike habitaient un vaste penthouse dans une partie de la ville sans grand intérêt. Un quartier pour classes moyennes peu fortunées. Sam, le père de Karen, possédait le pâté de maisons et plusieurs autres aux alentours. Sans parler de ses autres propriétés, ailleurs dans le pays. Quand Karen m'avait épousé, il lui avait offert le penthouse en cadeau de mariage.

Sam avait connu mon père dans sa jeunesse, à l'époque où ils fréquentaient tous les deux l'université. Mon père adorait me raconter combien lui et Sam avaient été proches bien avant que l'argent entre en ligne de compte pour l'un comme pour l'autre. À cette période, Sam n'était qu'un étudiant en droit prometteur et mon père un malheureux petit gars de la campagne essayant de bâtir son avenir. La leçon, je suppose, c'était que leur amitié reposait sur de vraies valeurs d'estime et d'affection et non sur les sables mouvants et éphémères de la gloire et de la fortune.

Sam ne m'aimait pas. Il ne m'avait jamais aimé. Peut-être avait-il vu ce que ni moi ni mon père ne voulions admettre : que mon avenir n'était pas brillant et que je n'étais pas de la même trempe que Frank père. Cependant, il fit preuve de bienveillance lorsque nous tombâmes amoureux l'un de l'autre, sa plus jeune fille et moi. Je connaissais et fréquentais Karen depuis mon enfance. Il était presque inévitable, sur le plan social, que nous sortions ensemble. Un même milieu en termes de privilèges et de revenus, des familles identiques, bâties pratiquement à la force du poignet grâce aux efforts de deux hommes déterminés, partis de rien. Ni moi ni Karen n'avions des qualités exceptionnelles et cela n'avait aucune importance. L'argent rendrait nos vies exceptionnelles.

Karen était assez instable, touche-à-tout. Elle commençait des études, abandonnait, se lançait dans autre chose. Elle décrocha finalement un diplôme en art dramatique, déclara haut et fort que c'était sa passion avant de renoncer, une fois de plus, après quelques petits rôles ingrats. Lorsque je l'avais épousée, à la suite de mes deux ans de service militaire, elle était associée avec sa mère pour diriger quelques boutiques de cadeaux qui ne marchaient pas trop mal et dont elle finit aussi par se lasser. C'est pendant la période vide qui suivit, alors qu'elle jouait les femmes au foyer, qu'avait débuté sa liaison avec Mike ; pendant un temps, je me suis tourmenté à l'idée que, si elle avait travaillé...

À présent, elle se disait décoratrice d'intérieur. Et je dois admettre qu'elle avait l'œil. Elle avait entièrement refait le penthouse, transformant ce mausolée luxueux en un lieu clair et accueillant, un peu trop raffiné à mon goût. Des espaces ouverts, des sols en bois, des baies vitrées donnant sur la ville.

Jacqui, la mère de Karen, partait au moment où j'arrivais. Elle marchait avec précaution, juchée sur des hauts talons, soucieuse de garder sa haute colonne de cheveux en équilibre sur sa tête. Antique et impeccable, momifiée sous un maquillage qui menaçait de craquer au moindre sourire, même le plus pincé, elle me tendit la joue sans changer d'expression.

— Frank, murmura-t-elle, je sais que vous avez rendez-vous. Je vous laisse.

— Je vous croyais en France, Sam et toi.

Ils avaient émigré six ans auparavant.

– De retour pour les affaires. C'est la troisième fois cette année. Tu connais Sam, incapable de s'arrêter.

– C'est vrai.

– Et toi, Frank ? Toujours autant de travail ?

– Hum. Oui. Toujours autant.

– J'ai appris que tu faisais un boulot formidable, là-bas. Auprès des populations noires rurales.

Karen me dit bonjour seulement après le départ de sa mère. Elle pressa ses lèvres sur ma joue, un baiser sec et rapide, et je sentis un instant ses hanches osseuses sous ma main.

– Tu as maigri, lui dis-je.

– Contrairement à toi. Tu as une mine épouvantable, Frank. Qu'est-ce qui t'arrive ?

– Rien. Toujours la même chose.

– Allons au salon.

Nous nous installâmes dans de grands fauteuils confortables en cuir, la ville au-dessous de nous, et elle prit sur la table basse une liasse de papiers.

– Voici. Commençons par les choses sérieuses. Tout est prêt.

– Je vois.

– Tu vas vouloir montrer le texte à ton avocat, j'imagine.

– Non, dis-je. Je signe maintenant. Passe-moi un stylo.

Elle n'en revenait pas.

– Tu ne veux même pas le parcourir ?

J'essayai, mais dès la première ligne – *le mariage de Karen et Frank est rompu irrémédiablement* – mes yeux se détournèrent des mots. Tout avait été tellement dit et redit, et c'était si loin de ma vie actuelle.

— Il y a quelque chose que je devrais savoir, là-dedans ?

— Qu'est-ce que tu insinues ? Que je te roulerais ? Jamais je ne ferais ça, Frank. Quelle horrible idée. C'est seulement la confirmation de l'accord que nous avons maintenant. Ce qui est à moi est à moi, ce qui est à toi est à toi. Qu'est-ce que tu as que je pourrais vouloir, franchement ?

— Je vérifiais, c'est tout.

Je pris le stylo rutilant qu'elle avait posé sur la table et signai la dernière page. La plume émit un crissement qui parvint sans doute à mes seules oreilles : le son de l'anéantissement de onze années.

— Là aussi, dit-elle.

Elle tournait chaque page pour que je la paraphe. Puis elle reprit le document et le stylo et les emporta dans la chambre, hors de portée, comme si je risquais de changer d'avis. En revenant, elle était plus à l'aise avec moi.

— Tu ne devrais pas signer sans vérifier, Frank. C'est typique de toi, de ne pas faire attention. On ne sait jamais ce qui peut se passer.

— Et c'est typique de toi de t'énerver à la fois parce que je pourrais croire que tu cherches à me flouer et parce que je ne vérifie pas qu'il n'en est rien.

Elle sourit comme si je lui avais fait un compliment.

— Enfin, c'est fait. Le passage au tribunal n'est qu'une formalité. Je te préviendrai quand ce sera fini. Tu veux boire quelque chose ?

— Non, merci. J'ai déjà pris un café.

— Je bois toujours du jus de fruits, le matin. Je vais t'en donner, Frank. Tu auras peut-être meilleure mine, après.

Malgré les bonnes qui s'activaient dans le décor, ici aussi, Karen alla elle-même à la cuisine et revint avec deux grands verres de jus d'oranges. Elle s'assit sur un autre siège, plus près de moi, et je compris que nous allions passer à une conversation plus intime.

— Frank, je voudrais te poser une question. Directe.

— Vas-y.

— Qu'est-ce que tu ressens, par rapport à Mike ? Je veux dire ces temps-ci, maintenant que les choses se sont tassées.

— Ce que je ressens ? Pour moi, c'est un serpent qui m'a pris ma femme.

— Oh, Frank. Voyons. Depuis toutes ces années. On ne peut pas tourner la page ?

— J'ai tourné la page. Mais je ne lui ai pas pardonné.

C'était étrangement clair pour moi : même si mon amour pour Karen était réduit à une faible étincelle intérieure, le feu de ma haine pour Mike brûlait toujours, vif et violent. Au-delà d'un certain point, le caractère d'une personne se précise et se fixe peut-être définitivement dans notre esprit. Je voyais au mur une photo récente de Mike, et bien que ce personnage corpulent à la calvitie naissante ressemblât peu au jeune homme dont j'avais été l'ami, quelque chose en lui – ou en moi – demeurait constant, inchangé, immuable.

— Quel dommage, Frank. C'est triste que tu sois tellement… rancunier. Mike veut passer à autre chose. Il veut… je ne sais pas, expier, avant notre départ. Il m'a dit que tu lui manquais, parfois.

— Vraiment ?

– Oh, pourquoi je m'en mêle ? Je pensais que peut-être, maintenant que le divorce est complètement officiel et signé… Enfin, je vois que je perds mon temps. Pourquoi es-tu si amer, Frank ? C'est à force d'être en rade là-haut, dans la brousse, depuis si longtemps ? Tu ne crois pas qu'il serait temps de revenir à la civilisation ?

– Non.

– Tu crois qu'on te plaint ? Mike dit que tu aimes souffrir pour attirer l'attention.

– Ce que dit Mike ne m'intéresse pas.

– Eh bien, c'est dommage. C'est tout ce que je peux dire. Il t'apprécie, tu sais.

– Écoute, dis-je. Tu ne vas peut-être pas me croire, mais je veux être là-bas. À ma façon à moi, je ne suis pas loin d'être heureux.

Elle m'examina un moment puis se pencha vers moi, je vis qu'elle allait oser.

– Tu as… quelqu'un… là-bas ?

– Oui, dis-je, m'étonnant moi-même de l'assurance de ma réponse.

La rapidité avec laquelle l'image de Maria m'était venue à l'esprit était tout aussi surprenante. Seule dans la baraque en bois en train d'attendre. De m'attendre.

Karen hocha la tête avec un sourire crispé.

– Qui est-ce ? Un des médecins de l'hôpital, j'imagine.

– Non. Quelqu'un d'autre. Qui n'est pas de l'hôpital.

– Bon, je comprends que tu n'en diras pas plus. Enfin, ce serait un plaisir, Frank, de se voir. Mike et moi, et toi et ton amie. On pourrait dîner ensemble, par exemple. Penses-y.

Je faillis rire. Il était absurde d'imaginer Maria parmi ces gens – parmi ces meubles, même. Je vis à quel point je m'étais éloigné du cours normal des choses. Je bus le jus d'oranges et reposai le verre.

– Je vais devoir y aller.

– Très bien. Je suppose que tu as des obligations familiales. Je suis désolée, pour ton père.

– Pardon ?

C'était tombé tellement par hasard, dans la conversation, que je saisis à peine. Elle semblait interloquée.

– Eh bien, je… j'ai entendu dire qu'il était malade.

– Je ne suis pas au courant.

– Je ne sais pas, Frank. Excuse-moi, oublie tout ça. Je n'ai rien dit.

Je ne cessais d'y penser pendant le trajet du retour et j'appelai Karen une fois arrivé. Sa voix était cassante, sur la défensive ; notre échange intime était passé.

– Je veux savoir, dis-je. Quoi qu'il en soit, j'aimerais que tu me dises.

– Je ne sais rien, Frank. J'ai dû confondre.

– Je ne te crois pas.

– Eh bien, ne me crois pas. Je ne te mentirais pas.

Je passai le reste de la journée à la maison à arpenter les longues allées et les étroits sentiers du jardin. Ma belle-mère s'agitait anxieusement, entre des expéditions répétées vers les magasins, le coiffeur, le garage, et une ou deux fois je fus sur le point de lui demander : *est-ce qu'il est malade ?* Une question trop énorme, trop inconvenante dans cet environnement faussement distingué. J'aurais paru grossier.

Mon père rentra du club en fin de journée. Il avait mal joué, disait-il. Il avait un peu bu et semblait irritable mais il n'avait pas l'air malade. Sa voix restait forte et pleine d'assurance, faisant de ses opinions des vérités, racontant des blagues, et il se souvint seulement au dessert que je n'étais pas en vacances.

— Oh, Frank. Je voulais t'en parler. Ça m'est complètement sorti de l'esprit. Comment s'est passée ta conversation avec Karen ?

— Très bien. C'est fait, c'est signé.

— Hein ? Les papiers ? Terminé ?

— Oui.

— Mais je… je pensais que vous alliez seulement en parler. Était-ce bien raisonnable de brusquer les choses ainsi ?

— Ça fait pas mal d'années, Papa. Rien de brusque.

— Je suis désolé, Frank, que ça se termine ainsi.

— C'était pratiquement inévitable, Papa.

— Oui. Pourtant. J'aurais aimé que tu me laisses essayer d'arranger quelque chose avec Sam.

— Ça n'aurait rien changé.

— Qui sait. Qui sait.

Il tripotait sa serviette.

— Tu restes avec nous quelques jours ?

— Je crains que non. Je dois repartir demain matin.

— Si vite ? dit Valérie de son air triste. Tu viens à peine d'arriver.

— Je sais. J'ai dû demander une autorisation spéciale pour venir Ils ont besoin de moi, là-bas.

Même si tout cela était faux et que je venais simplement de décider de partir, je savais que je n'étais plus chez moi, ici. Ma place était ailleurs, dans la chambre d'un hôpital rural, équipée du mobilier bon marché de l'État, où aucune des certitudes de mon père ne s'exerçait.

— Ils ont besoin de toi ? ironisa-t-il. Tu es toujours sous les ordres de cette Noire ? Est-ce que le moment n'est pas venu, Frank, de songer à revenir par ici ?

— Je crois que je suis sur le point d'obtenir quelque chose, là-bas.

— D'obtenir quoi ?

— Une promotion. Apparemment, je vais bientôt prendre la tête de l'hôpital.

— Voyons, on entend cette histoire depuis des années. Tu étais censé diriger cet hôpital dès ton arrivée là-bas.

— Je sais. Mais il y a beaucoup de changements. Cette fois, c'est sûr.

— Je pourrais en parler à des gens ici, Frank. On te trouverait un poste dans un des hôpitaux de la région. Rien d'extraordinaire mais de meilleures perspectives que celles que tu as actuellement.

— Mes perspectives sont excellentes.

L'indignation montait en moi et je me lançai, avec des accents d'autosatisfaction, dans une description de ce qu'allait être mon avenir : le docteur Ngema allait partir, je lui succéderais, avec moi les choses changeraient et dans quelques années j'aurais droit à un poste ailleurs… À mesure que je formulais l'enchaînement des événements, il semblait pratiquement certain que tout se passerait ainsi que je le décrivais. Et l'hôpital

— où mon père n'avait jamais mis les pieds — devenait un endroit que je n'avais jamais vu non plus : un lieu essentiel, rempli de malades, de travail et de dévouement, où se conjuguaient le sacrifice et l'adversité.

— Bon, je n'étais pas au courant de tout ceci, dit-il en repoussant son pouding, à demi entamé. Ce pays a tellement changé, je ne le reconnais plus. Ce que je sais, c'est que moi, je ne pourrais pas. Je veux bien travailler pour un Noir, mais recevoir des ordres d'une femme...

C'était sa conception de la plaisanterie ; Valérie rit consciencieusement, feignant d'être indignée. Je ne souris pas.

— Je n'arrive pas à finir, Val. C'est trop riche. Allons prendre le café dans le bureau.

Et nous nous dirigeâmes vers son antre. Nous nous assîmes dans les mêmes fauteuils, Valérie et moi, mon père s'installa derrière son bureau. Il feignait d'être heureux mais je voyais bien que notre conversation pendant le repas l'avait contrarié. Il déplaça les objets sur sa table de travail, regarda autour de lui, lorsque enfin sa mauvaise humeur trouva à s'exprimer.

— Valérie. Ces fleurs. Je te l'ai déjà dit.

— Je n'arrête pas d'en parler à la fille...

— Eh bien, tu lui dis encore une fois, et tout de suite.

— Attends, mon chéri, elle arrive avec le café.

Nous restâmes silencieux jusqu'à ce qu'une des bonnes, une femme âgée, en tablier et pieds nus, entre avec un plateau. Tandis qu'elle servait, Valérie lui parla sur le côté :

— Betty, les fleurs...

— M'dame ?

— Vous ne voulez pas les prendre ? Elles seront ravissantes dans votre petite chambre.

— M'dame.

Betty transporta le bouquet bruni et défraîchi de la cheminée vers la porte.

— Betty !

— Maître ?

— Vous laissez tomber des pétales, Betty. Il y en a partout. De grâce, de grâce…

La vieille femme dans son joli petit uniforme bleu posa les fleurs fanées par terre et se mit à genoux. Elle commença à s'activer à quatre pattes et à ramasser les restes de fleurs sur le sol.

— Là, Betty… murmurait patiemment mon père. Et ici… encore une là…

Et moi, je sirotais un café amer en entendant le rebord de la tasse en porcelaine tinter contre mes dents.

12

J'arrivai tard, à la nuit tombée. Les lumières étaient éteintes à l'exception de l'entrée principale et du local de garde. Encadré par la fenêtre, je voyais Laurence assis derrière le bureau, droit et attentif, les mains jointes devant lui. En blouse blanche.

Il y avait beaucoup de vent et il n'entendit pas la voiture. Je restai un long moment assis à l'observer par-delà l'étendue d'herbe et de gravier. Nous ne bougions ni l'un ni l'autre. Il semblait perdu dans ses pensées et je ne songeais à rien de particulier. Je voulais seulement voir ce qu'il allait faire. Et il ne fit rien.

Je n'allai pas le voir. Je gagnai directement la chambre et me couchai, et mon sommeil fut comme la prolongation de l'inertie du trajet en voiture : une projection dans un paysage défilant interminablement autour et à l'intérieur de moi.

Lorsque je me réveillai, il faisait jour et il me regardait, assis sur l'autre lit. Ses yeux brillaient d'un éclat particulier malgré ses traits tirés.

– Quoi ? dis-je en m'asseyant.

Son air avait quelque chose d'inquiétant.

– Que se passe-t-il ?

– Rien, dit-il en souriant.

Il continuait à me regarder avec ce même air.

– Oh, Frank, dit-il enfin. Il s'est passé tellement de choses depuis ton départ.

– J'ai été absent deux jours.

– Oui. Mais maintenant tout est différent.

Il était heureux en affirmant cela, malgré la fatigue. Et je dois reconnaître que son bonheur me troublait. Mais lorsque je me levai pour me passer de l'eau sur le visage, le récit qu'il me fit n'avait rien de réjouissant.

Il avait beaucoup réfléchi à ce que je lui avais dit, m'expliqua-t-il. À propos de Tehogo et du vol. Ce n'était pas normal, qu'il ne se passe rien. Il avait finalement décidé d'agir.

– Qu'est-ce que tu as fait ?

Il était allé voir le docteur Ngema. Il l'avait approchée dans son bureau, le soir de mon départ. Et lui avait raconté l'histoire comme si elle lui était arrivée à lui. Le petit coup sur la porte mal fermée, l'entrée dans la chambre, la découverte des pièces métalliques étalées partout.

Il me disait cela tranquillement, sans émotion, et j'imaginais qu'il avait parlé de cette manière au docteur Ngema. Quand il eut fini, il rougit subitement, son visage était devenu écarlate.

– Qu'est-ce qu'elle a dit ? questionnai-je.

– Elle a demandé si j'étais sûr. Comment je savais d'où provenaient les pièces métalliques. J'ai dit que j'étais sûr. Elle a demandé ce que j'allais faire dans la chambre de Tehogo s'il n'y était pas.

– Elle a dit ça ?

– Elle a parlé du fait que je n'avais pas le droit.

– Je n'ai pas forcé la porte, dis-je. Ce n'est pas comme si j'avais crocheté la serrure. Bordel.

Une violente rougeur me monta au visage, à moi aussi. Il avait retrouvé ses couleurs normales et son sourire radieux.

– C'était terrible, Frank. Elle a fait venir Tehogo.

– Elle l'a fait venir ?

– Enfin, on aurait dit une blague. Pendant que je lui parlais, quelqu'un a frappé à la porte et c'était Tehogo qui cherchait je ne sais quoi. Alors elle lui a dit, tu ferais bien d'entrer. On doit discuter de quelque chose de sérieux avec toi.

– Et ?

– Nous étions assis, à nous regarder, exactement comme tu me regardes en ce moment. Elle m'a demandé de répéter mon histoire. Lui, il n'arrêtait pas de secouer la tête, on aurait dit qu'il savait que je mentais. Parce que je mentais, Frank – c'était ça le problème. Ce n'était pas mon histoire, puisque ça ne m'était pas arrivé. Ils avaient l'air de le savoir, tous les deux, ils m'écoutaient en hochant la tête et ils attendaient, ils savaient.

– Non, ils ne savaient pas, Laurence. Oh, nom d'un chien. Et après ?

– Alors il a dit, allons voir. Il s'est levé, très calme, et nous l'avons suivi dans sa chambre.

– Et ?

– Il n'y avait rien.

Je le regardai fixement.

– Rien, répéta-t-il tristement, toujours avec cet étrange sourire sur le visage. La chambre était en désordre, telle que tu l'avais décrite, mais il n'y avait pas de métal, rien de la sorte. J'ai regardé partout.

— Ils ont tout emporté, dis-je. Tehogo et son fameux copain, là. Machin truc, Raymond. Ils ont tout pris.

— Possible. En tout cas, c'était terrible, Frank. J'étais là, debout, et je ne faisais que répéter, mais c'était ici, je vous jure, c'était ici. Et ils n'arrêtaient pas de me regarder. Et je mentais, Frank, tu comprends ? Je le savais et donc ils devaient le savoir, eux aussi.

— Et ? dis-je. Et alors ?

— Bon, après c'était fini. Ça ne servait plus à rien. On a encore un peu parlé...

— De quoi ?

— Nous sommes retournés dans le bureau du docteur Ngema. On a un peu discuté de ceci et de cela et Tehogo m'a demandé pourquoi j'étais allé dans sa chambre. Qu'est-ce que je lui voulais. Et je n'en savais rien. Je n'avais pas de réponse. Pourquoi tu y es allé, Frank ?

— Les cassettes.

— Les cassettes ?

— C'est sans importance, dis-je. Oublie. Continue.

— Eh bien, c'était inutile de faire semblant. On se dévisageait, tous les trois. Un silence horrible. J'étais démasqué, tu comprends.

Il s'interrompit un moment, secouant la tête, puis reprit d'un ton différent, plus léger.

— Alors, je leur ai dit. Ça n'allait pas, de continuer à mentir. Ils le voyaient bien.

— Tu leur as dit ? Tu leur as dit quoi ?

— Que ce n'était pas moi qui était entré dans la chambre. Que c'était toi. Tu avais vu les trucs, tu m'en avais parlé... Oh, tout quoi, je leur ai tout dit. Il le fallait, dit-il avec un sourire immense maintenant. Je me suis senti tellement mieux, après, Frank. D'avoir tout avoué. Je ne pouvais pas supporter ce mensonge. Ce n'est pas dans ma nature. Qu'est-ce qui se passe, Frank ? Qu'est-ce qui ne va pas ?

Le sourire avait disparu. Je m'étais levé et je marchai droit vers lui. Mon intention, je pense, était de lui faire quelque chose, mais dès que je fus sur lui je pivotai vers la fenêtre. Toujours la même vue, le terre-plein envahi d'herbes avec sa végétation pelée, les murs écaillés, craquelés. J'observai un moment l'extérieur puis retournai vers mon lit et je m'assis à nouveau, tremblant.

– Tout est arrangé, Frank, dit-il. Ne t'inquiète pas. Je leur ai expliqué.

– Tu as expliqué quoi, exactement ?

– Que c'était à cause de moi. Toute cette histoire. Prévenir le docteur Ngema, mentir sur ce que j'avais vu... c'était mon idée. Je leur ai dit. Je leur ai dit que tu n'avais pas l'intention d'en parler, que tu étais embêté pour Tehogo. Que c'était moi qui... Maintenant, c'est réglé, ne t'en fais pas. On s'est même serré la main.

– Qui ?

– Tehogo et moi. Je me suis excusé et on s'est réconciliés. Tout est arrangé, Frank. Tu n'auras pas de problèmes.

Chose incroyable, son expression consternée avait disparu et il souriait à nouveau.

– Pourquoi tu souris ? dis-je.

– Ça va bien, Frank. Tout s'est très bien passé. Comme toujours, en fait.

Je ne savais pas de quoi il parlait. Mon esprit était ailleurs. J'étais trop perturbé pour me concentrer sur ce qui avait pu se passer d'autre en mon absence. C'était assez gros comme ça. Or, je n'allais pas tarder à découvrir ce qui faisait sourire Laurence.

— Tu as intérêt à aller la voir, ajouta-t-il en vitesse. Elle veut absolument te parler.

— Qui ?

— Le docteur Ngema. Une simple formalité, Frank, arrête de t'en faire.

Je me rendis dans son bureau. Elle travaillait à sa table et dès qu'elle me vit elle se leva et ferma la porte d'un geste de conspiratrice. Nous nous assîmes dans les fauteuils bas, nos genoux se touchaient presque.

— Quelle histoire, Frank, dit-elle. Enfin, c'est arrangé à présent, je crois.

Elle employait pratiquement les mêmes termes que lui. Je me demandais ce qu'*arrangé* pouvait vouloir dire dans tout ça.

— Je suis désolé, Ruth, d'avoir joué ce rôle... Je n'ai pas imaginé...

— Non, bien sûr. C'est son initiative, il l'a dit lui-même. Ça a failli créer beaucoup de problèmes. Peut-être encore maintenant. Il est très impulsif, ce jeune homme.

— Je peux faire quelque chose ?

— J'aimerais que vous gardiez un œil sur lui. J'ai passé un accord avec lui. Je voudrais être sûre qu'il s'y tienne.

— Quel accord ?

– À propos de son dispensaire. Vous savez, cette espèce d'antenne médicale qu'il a organisée hier.

J'avais eu l'esprit tellement occupé par une foule de choses que c'était la première fois que j'y pensais depuis mon départ.

– Oui ?

– Apparemment, ç'a eu beaucoup de succès. Les Santander ont dit que… Ils paraissent très contents.

– Et donc ?

– Je lui ai dit qu'il pourrait recommencer. Pour être honnête, j'ai en quelque sorte suggéré que nous pourrions continuer à assurer un suivi avec eux. Je ne pense pas que nous en arriverons là, bien entendu. Mais je devais le convaincre.

Elle était ravie – le genre d'émotion qu'elle affichait rarement – de sa propre habileté.

– La prochaine consultation aura lieu dans un mois, poursuivit-elle, citant un village dont je n'avais jamais entendu parler. Écoutez ça, Frank. Tout s'agence parfaitement. Le gouvernement local organise une cérémonie là-bas, le même jour. Ils installent l'électricité dans le village, ce sera un gros événement. Je me suis arrangée pour que la consultation ait lieu ce jour-là. Il y aura des journalistes, des discours, un intérêt politique… Ce sera bon pour nous tous.

– Magnifique, dis-je, sèchement. Et il accepte ça en guise de… de…

– Compensation ? Oui. Je crois. Je ne lui ai pas présenté la chose ainsi, bien sûr. Je lui ai dit qu'il devait choisir. S'il portait plainte contre Tehogo, je devrais porter plainte contre lui. Pour avoir menti. Ça déclencherait une enquête, Tehogo risquait de perdre son travail, Laurence serait peut-être suspendu… Et en considérant tout ceci, je ne voyais pas le moyen de continuer à organiser ces antennes médicales. D'un autre côté, il y avait cette opportunité...

— Et il a accepté ? dis-je à nouveau, incrédule.

— Il devait. De toute façon, il ne peut pas poursuivre Tehogo. Vous seul pouvez le faire.

Après un bref silence, pendant lequel j'entendais le frottement des branches les unes contre les autres, dehors, je dis :

— Et si je le faisais ?

Elle était abasourdie. L'expression ravie s'était envolée, ses yeux et sa bouche s'arrondirent.

— Pardon ?

— Si je portais plainte contre Tehogo ? Je les ai vues, ces pièces. Elles y étaient.

Cette fois, le silence dura longtemps. Puis elle dit :

— Je ne comprends pas. Je pensais que vous ne...

— Je n'en suis pas certain. Vous voulez en rester là ? Il vous vole.

— Bon, je... oui. Il a reçu un avertissement. Il ne recommencera pas. Après tout, ce ne sont que des morceaux de métal. Personne ne s'en servait. Il n'y a pas de mal.

— Pas de mal ? répétai-je en secouant la tête. C'est votre hôpital, Ruth. Ces morceaux de métal font partie de votre hôpital.

— Je sais, Frank.

Son visage s'était durci.

— Réfléchissez une seconde à l'alternative. Vous avez attendu longtemps ce poste de directeur de l'hôpital. Les choses se mettent enfin en place, il semblerait que ce soit pour bientôt. Vous voulez tout gâcher ? Si vous lancez une procédure d'enquête auprès du Département de la Santé, cela prendra des mois, nous serons tous exténués. Les accusations iront bon train, vous y avez pensé, Frank ? Le résultat est loin d'être clair. Au bout du compte, oui, vous vous serez battu pour quelques morceaux de métal.

– Certainement pas. Il s'agit de défendre un principe.

– Quel principe ?

Je restai muet. Quel était ce principe pour lequel je me battais ? Il semblait trop évident pour porter un nom. Je touchais à quelque chose de trop profond, trop difficile pour moi, et je décidai de battre en retraite.

– De toute manière, dis-je, c'est théorique. Je ne veux pas aller plus loin.

– Je suis soulagée d'entendre ça, Frank. Les enjeux sont tellement importants. Pour chacun de nous.

– Oui, je m'en rends compte. Que voulez-vous que je fasse ?

Je parlais maintenant avec légèreté et rapidement, comme si la partie périlleuse de la conversation n'avait pas eu lieu, et elle me répondait de même.

– Simplement vous assurer, si c'est possible, que Laurence ne change pas d'avis. Vous avez une bonne influence sur lui, Frank. Il vous écoute.

– Oui. Je vais le surveiller.

– Merci. C'est dans votre intérêt, d'ailleurs.

– Je sais.

Pourtant, je quittai son bureau confus, en proie au doute, et j'avais mal à la tête en allant m'asseoir dans la salle de loisirs. Laurence dormait et l'endroit, qui constituait normalement un refuge paisible, était très animé. Saturé de sons et de lumière. Une cassette diffusait une musique assourdissante et les Santander jouaient au ping-pong. Themba et Julius buvaient du café en bavardant.

– Tu veux jouer, Frank ? cria Jorge.

Je secouai la tête. La partie continua sans moi. J'étais tellement perturbé que cette agitation frivole me sembla être l'état normal des choses, dont seule mon humeur m'excluait. Au bout d'un moment, Claudia lâcha sa raquette et vint s'asseoir à côté de moi, le visage souriant, un peu en sueur.

– Tu es rentré aujourd'hui ? dit-elle.

– Hier soir. Tard.

– Tu as raté la consultation, hier. C'était très bien. Oh, un grand moment.

– Oui, dit Jorge en s'approchant. On a pensé à toi. On était très contents.

– Oh, vraiment très bien, répéta Claudia. Il y avait tellement de gens ! De discussions ! C'était trop !

– C'est bien, dis-je, incapable d'ajouter quoi que ce soit.

Alors seulement je commençai à entrevoir ce que l'atmosphère légère et joyeuse de la pièce avait de neuf. Jamais Claudia ne se serait ainsi affalée sur le canapé, ne m'aurait parlé avec une telle simplicité – sans la rancœur et le ressentiment liés à notre relation – quelques jours auparavant. Et cette jeune énergie, si optimiste, si fraîche, était le fruit de ce qui avait eu lieu la veille, en mon absence.

Je me rappelai le sourire incongru sur le visage de Laurence tandis qu'il me racontait son histoire. Un sourire que je reverrais, quelques jours plus tard, lors de la réunion hebdomadaire. Le dispensaire était l'unique sujet à l'ordre du jour. Et le docteur Ngema avait abandonné ses réserves, en en parlant. Un succès retentissant, disait-elle ; et si quelqu'un en doutait, il suffisait de voir le nouvel esprit qui animait l'équipe. En dépit de nos maigres moyens matériels, nous avions accompli un acte significatif : nous étions allés à la rencontre de la communauté, nous avions montré que nous existions. Et elle avait la certitude que les gens qui n'avaient jamais entendu parler de l'hôpital auparavant allaient se précipiter à nos portes.

Pendant ce temps, Laurence souriait en regardant ses pieds.

– Bien entendu, dit le docteur Ngema, il s'agissait là d'un essai. L'idée étant de poursuivre ces consultations en cas de succès. Et j'ai le plaisir de vous annoncer que la prochaine se tiendra bientôt.

Elle nous regarda à tour de rôle, d'un air important. Je ne réussis toutefois pas à l'écouter lorsqu'elle répéta en détail ce qu'elle m'avait dit : la grande cérémonie officielle au cours de laquelle de pauvres gens allaient être raccordés à l'électricité. Dans mon esprit, l'événement était aussi net que s'il avait déjà eu lieu – la foule assemblée, le visage radieux de Laurence au centre du public. Les discours et les discussions, inutiles, interminables, pour la plupart vraisemblablement incompris ; la question n'était pas là. Ce qui comptait, c'était ce qui se passait, la valeur symbolique de la chose. Ce qui comptait, c'était l'ambiance au sein de l'équipe.

Je fixais la cible derrière la porte, où une fléchette solitaire était restée accrochée et revêtait une signification lumineuse, et je revins seulement à moi pour entendre le docteur Ngema annoncer :

– … Inutile de vous dire l'importance de ceci. Le travail à l'extérieur, auprès des communautés… le genre de choses dont le gouvernement précédent ne s'occupait pas. Nous devons nous engager dans cette nouvelle voie…

Puis des applaudissements, spontanés, auxquels se joignit même le docteur Ngema. Seuls Tehogo et moi restions en retrait, observateurs silencieux, de part et d'autre de la pièce.

Tehogo avait toujours été silencieux, mais ici son silence était différent. Il contenait une colère, une accusation, palpables, que je pensais dirigées contre moi.

Je l'avais croisé une fois, depuis mon retour de Pretoria. Et avant même de le voir, je savais que tout avait changé. Une rencontre fortuite, un geste infime m'avaient signifié où je me trouvais.

Le jour de mon retour, après un moment passé à la salle de loisirs avec le personnel en pleine allégresse, j'étais parti marcher dans le parc de l'hôpital. Les pensées et les impulsions qui se télescopaient en moi m'empêchaient de rester en place. Je fis les cent pas, m'attardai devant la grille, les mains agrippées aux barreaux, le regard vers l'extérieur. Le soir, je décidai de faire une plus longue promenade, d'aller jusqu'à la ville. En partant, je passai devant Raymond, l'élégant jeune homme, ami de Tehogo, que j'avais accusé d'être son complice. Il attendait, assis sur le muret croulant qui bordait le parking, balançant nerveusement un pied dans le vide. Je ne l'avais plus vu depuis la soirée. Il était bien habillé, avec recherche ; malgré l'obscurité, il portait des lunettes noires. Je le saluai d'un mouvement de la tête mais, lorsque je fus face à lui, il leva la main et tendit un doigt en travers de sa gorge.

Un simple geste, qui me fit trembler pendant le trajet vers la ville. Pas de peur, ou pas entièrement ; d'autre chose. C'était un signe envoyé par Tehogo, c'était ce que le docteur Ngema n'avait pas dit tout haut dans son bureau, le matin même : une rage contenue, muette, transplantée dans la main désœuvrée de cet étranger.

À mon retour, il n'était plus là. Le muret écroulé était nu.

Je partis à la recherche de Tehogo. C'était l'heure du dîner et je le trouvai dans le réfectoire, assis seul à une extrémité de la longue table. Claudia Santander se trouvait là également, avec Laurence, et une partie de l'excitation de la matinée continuait à électriser l'air entre eux, à l'autre bout de la pièce. Autour de Tehogo, en revanche, vibrait un halo de colère. Il avait fini de manger et fixait le mur devant lui, face à son assiette vide. En me voyant, il parut éprouver le besoin de se distraire d'une manière ou d'une autre et il saisit la salière qu'il fit tourner dans sa main.

Je m'assis à côté de lui. Laurence et Claudia nous lancèrent un coup d'œil avant de poursuivre leur intense conversation. Il était question de La Havane, d'un programme de santé publique.

Tehogo faisait maintenant glisser la salière d'une main dans l'autre. Gauche, droite, gauche.

– Tehogo.

Il ne dit rien. Le va-et-vient de la salière. J'approchai légèrement ma chaise de la sienne.

– Je peux te parler ? dis-je. Je voudrais t'expliquer ce qui s'est passé.

Gauche, droite, gauche.

– Je sais que tu es fâché. Blessé et fâché. Ce n'est pas moi qui ai fait ça, Tehogo. Si tu voulais bien m'écouter.

Il reposa la salière d'un geste ferme et croisa les bras, regardant droit devant lui.

– Tu n'es pas mon ennemi, Tehogo.

Il tourna la tête et me regarda. Ses yeux ne restèrent qu'un instant sur moi avant qu'il recule sa chaise et se lève. Je crois avoir fait un geste pour le retenir tandis qu'il s'éloignait déjà à grands pas. Vers la sortie, sans se retourner.

Il y eut un bref silence, pendant lequel je sentis que Laurence et Claudia m'observaient, à l'autre extrémité de la pièce. Puis leur conversation reprit, basse et fébrile. Assis, la tête dans les mains, j'essayais de voir clair à travers les mots, les images. *Tu n'es pas mon ennemi, Tehogo.* Qui était mon ennemi, alors ?

Je commençais à comprendre ce que voulait dire Laurence quand il affirmait que tout était différent, désormais. Pendant les deux jours de mon absence, ma place à l'hôpital avait changé. Plus personne ne me parlait de la même manière.

Le changement était infime, mais immense. Il n'avait ni centre ni dimension précise, et cependant il me préoccupait et me troublait autant qu'un événement définissable.

C'était quelques jours avant que je découvre un autre changement, hors de l'hôpital cette fois. Un changement qui allait profondément m'affecter, plus, peut-être, que le reste.

Laurence ne m'en avait pas parlé tout de suite. Il avait attendu que les choses se fassent – la réunion avec le docteur Ngema, la conversation avec Tehogo, la réunion du lundi matin. Ce n'est qu'au milieu de la semaine qu'il aborda le sujet, en passant, incidemment, comme s'il venait juste d'y penser. Et pourtant, dès la première syllabe ou presque, il était évident qu'il avait attendu le moment de m'en parler.

– Ah, au fait… Frank… je peux te parler, une minute ?

Nous étions dans la chambre. Pendant une de ces périodes incertaines de la journée où la lumière grise filtre à travers la vitre poussiéreuse, sans chaleur.

Il s'assit sur son lit, me dévisagea. Puis il se leva et vint près de moi.

– Je peux m'asseoir ?

– Je t'en prie.

Il s'assit près de moi, sur mon lit. Pendant un temps, j'entendis sa respiration inquiète.

– Tu vas bien ? finit-il par dire.

– Oui, ça va.

– Tu n'as pas bonne mine. Ç'a été dur, à Pretoria ?

– Je ne sais pas ce que tu as à me dire, dis-je d'un ton irrité, et j'aimerais bien le savoir.

Il respira difficilement et finit par dire :

– C'est à propos du dispensaire. Enfin, non. Disons, pas le dispensaire en tant que tel. C'est lié au dispensaire. En un sens. Mais il ne s'agit pas du dispensaire, non.

– Je ne vois pas du tout de quoi tu parles.

Il inspira profondément.

– D'accord. Cette femme.

– Quelle femme ?

– Elle. Tu sais bien. Ton amie.

Maintenant, je savais.

— Tu veux dire Maria ?

— Oui. Elle. Du magasin de souvenirs.

Il me fixa et détourna les yeux dès que je le regardai.

— Qu'est-ce qu'elle a ?

— Après la consultation. Tout le monde traînait. Elle est venue me parler. Elle m'a dit qu'elle avait un gros problème, elle m'a demandé si je pouvais l'aider.

En silence, j'avais compris, et le mot, suspendu entre nous, attendait d'être prononcé.

— Enceinte.

Il hocha la tête et avala sa salive ; un son fort et distinct dans la chambre.

— Elle veut s'en débarrasser et elle te demande de le faire.

Il acquiesça à nouveau.

Je me sentais calme. Je me sentais anormalement calme et serein. Je lui dis :

— Pourquoi tu me racontes ça ?

Il tenta de répondre, aucun son ne sortit ; et à cet instant, je perçus son incapacité à dire la vérité. Au lieu de cela, il murmura :

— Je voudrais… ton avis.

— L'avortement n'est plus un crime, Laurence. Tu as le droit de l'aider.

— Elle… elle ne veut pas que ça se passe ici.

— Où, alors ?

— Là-bas. Dans la baraque.

— C'est de la folie.

— Je sais. Elle est terrifiée par quelque chose. Ou par quelqu'un. Elle veut que je vienne le soir, tard. Que ça reste secret.

– Pourquoi ?

Il haussa les épaules et ce geste disait son désespoir. La fierté et la confiance affichées à la réunion du personnel quelques jours plus tôt avaient disparu ; ce n'était qu'un jeune homme désorienté et qui avait besoin d'aide.

– Qu'est-ce que tu vas faire ? dis-je.

– Je n'en sais rien.

– Quand est-ce qu'elle doit… ?

– Bientôt. Je ne sais plus exactement quand, bientôt. Frank, est-ce que ce serait possible que…

– Que quoi ?

– Est-ce que… Est-ce que tu… ?

Il haussa à nouveau les épaules.

– Tu n'es pas en train de me demander de le faire, si ?

Il eut un sourire douloureux.

– Je ne sais pas. J'y ai pensé. Tu… apparemment, tu la connais.

– Mais Laurence, dis-je, elle s'est adressée à toi.

Et c'était vrai. S'il n'avait pas mis sur pied cette petite consultation, s'il n'était pas allé dans ce village, jamais il ne l'aurait revue. Une part de moi – dure, froide, profondément enfouie – éprouvait de la satisfaction à le voir écartelé par ce dilemme. Il voulait aller au-dehors, faire de grands gestes symboliques en public, et dès que la réalité se manifestait, il était désemparé.

Bien entendu, je n'allais pas en rester là. Bien entendu, j'allais chercher à savoir ce qui s'était passé, j'allais faire quelque chose. Mais pour le moment, je n'étais pas sans éprouver une joie mauvaise à voir l'embarras dans lequel Laurence s'était lui-même mis.

Cette nuit-là, je pris la voiture pour aller la voir. Je m'y rendais sans savoir ce que je dirais. La dernière fois que je l'avais vue, avant mon départ pour Pretoria, je lui avais dit que je reviendrais la nuit suivante. Ce que je n'avais pas fait.

Un autre barrage se dressait sur la route. Ils me demandèrent où j'allais et je répondis « Juste faire un tour », ce qui, je le vis bien, laissa perplexe le jeune soldat qui m'avait fait me ranger sur le bas-côté. Il me fit descendre, ouvrir les portières pour fouiller la voiture – sous et entre les sièges, dans la boîte à gants, le coffre, le moteur. La voiture était vide et il dut me laisser partir mais je repris la route plein d'une obscure culpabilité, l'impression que je me livrais réellement à quelque contrebande illicite et secrète.

Quand j'arrivai à la baraque, la voiture blanche était là. La voiture blanche qui aurait pu être, ou pas, celle aperçue près de la maison du Général. Impossible de m'arrêter. Attendre étant inutile, je décidai de faire un tour, comme je l'avais annoncé. Je roulai pendant des kilomètres dans le noir. À un endroit plus dégagé de l'escarpement, je m'arrêtai et descendis de voiture. La nuit était tiède, le ciel envahi d'étoiles. Je m'assis sur le capot encore chaud, le regard plongé dans le noir, tandis que les vastes étendues d'herbe bruissaient autour de moi.

C'était bon d'être ici, seul, loin de tout. Pendant un bref moment, ma vie me fit l'effet d'être un objet dissocié de moi, un chapeau ou une chemise que j'aurais laissé tomber par terre, que je pouvais rêveusement repousser du pied. Un songe étrange émergea de cette sensation.

Dans ce songe, je me rendais chez Maria, dans sa baraque. Elle était pareille à elle-même mais portait une robe jaune vif que je ne lui connaissais pas. Je m'approchais d'elle et lui prenais les mains comme je ne l'avais encore jamais fait. Un sentiment muet et chaleureux nous liait, qui donnait à l'action l'élan d'une vague.

Je disais à Maria :

– Viens avec moi.

Elle était troublée. Elle ne comprenait pas ce que je voulais dire.

– Tout est possible, disais-je. Viens avec moi.

– Je dois m'occuper de la boutique.

– Non. Je parle d'autre chose. Il ne s'agit pas d'un petit moment. Je parle de toujours. Viens avec moi, loin d'ici. On laisse tout derrière nous. Ton travail, mon travail. Ton endroit, mon endroit. On va aller en ville, on va se marier, vivre ensemble, et recommencer. Depuis le début.

Elle secouait la tête.

– Si, disais-je, c'est vrai. Tout est possible.

Et je le voyais. Je voyais à quel point un énorme changement était simple. Alors, le songe bascula. Elle secouait la tête, la couleur de sa robe était différente et le futur glissa près de moi, dans la chaleur de la nuit, et disparut. Erreur de sentiment, erreur de temps : tout venait trop tard. À bout de forces, je descendis du capot et pris le chemin du retour.

La voiture blanche était toujours là.

En arrivant à l'hôpital, je retrouvai le monde figé à sa place habituelle, en attente. Les bâtiments sombres, remplis de vide et d'abandon. La chambre et la minuscule accumulation de mes biens. Laurence Waters endormi, la tête en travers de l'oreiller.

Je l'observai durant un long moment, debout. Dans la vague clarté venue de l'extérieur, son visage paraissait encore plus jeune. Pas suffisamment pour être innocent, mais pâle et doux, vulnérable à la violence. Et la violence était là, en moi : surgie de nulle part, l'idée me vint qu'il serait tellement facile de briser cette tête endormie. Un coup ferme et pesant avec l'objet adéquat et ce serait fait.

Parce que l'ennemi, c'était lui. Je le voyais, maintenant. L'ennemi n'était pas à l'extérieur, ailleurs, dans le monde, mais installé dans nos murs. Tandis que je m'étais assoupi.

Pensées nocturnes ; jamais rien de semblable ne m'était venu à l'esprit. Et c'était effrayant de voir à quel point l'idée de commettre un meurtre pouvait être banale, ordinaire. Je me détournai de cette idée, et de moi-même, et me mis au lit.

13

Les pensées nocturnes ne restaient plus confinées à la nuit ; elles infiltraient la normalité du jour. Je me livrais aux occupations habituelles et accomplissais ma tâche selon une routine établie. Mais, derrière le masque de mon visage, un étranger – pas totalement inconnu, un frère obscur parti de la maison depuis longtemps – s'était glissé.

Bien sûr, c'était un résident temporaire. Je tolérais sa présence, pour un temps restreint, un jour ou deux, la durée d'une fureur ; et je le chasserais, redeviendrais une personne honorable.

Mais durant ces un ou deux jours, qui devinrent trois ou quatre, puis cinq ou six, j'observais Laurence écartelé par son dilemme. Il le ressassait, se morfondait. J'étais fasciné par la complexité de son calvaire, proche des tourments d'un homme sommé de résoudre une équation impossible.

Tout était suspendu entre deux points, en attente. C'était l'impression qui s'en dégageait. Pas uniquement dans notre chambre : à l'extérieur aussi. Même les longues rues de la ville, lorsque j'y passais à pied ou en voiture, semblaient chargées de l'imminence d'un événement. Dans les lieux et les espaces anodins qui formaient le décor de mon existence, les choses n'étaient plus exactement les mêmes non plus.

Mama Mthembu avait acheté un billard. Un matin que j'étais en ville, au supermarché, je le vis passer à l'arrière d'un camion de livraison. J'allais boire un verre, ce soir-là, et il avait déjà été installé dans le bar. Une bande de soldats mêlés d'étrangers traînaient autour, jouant ou suivant les parties, de plus en plus soûls.

Un public différent fréquentait le café de Mama Mthembu, ces derniers temps. Peut-être drainé par les soldats. Parmi les créatures solitaires qui hantaient la place, beaucoup de femmes fardées avec des couleurs criardes. J'ignorais d'où elles venaient – des villages avoisinants, peut-être avaient-elles franchi la frontière – mais elles étaient ici pour gagner de l'argent et les camionneurs qui empruntaient la grand-route proche ne tardèrent pas à s'arrêter eux aussi. C'était nouveau. Ainsi, parmi les visages familiers, isolés et paisibles, habitués à se retrouver là, de nouvelles têtes, plus vulgaires, avaient fait leur apparition. L'atmosphère devint plus trouble et plus bruyante, plus joyeuse aussi, mais surtout plus violente. Un jour, j'assistai à une bagarre survenue sans raison – un brusque échange de coups de poing entre un soldat et un camionneur – pour retomber aussitôt, absorbée par le claquement des boules de billard et les tintements métalliques de la petite monnaie.

Cette nouveauté étrange, cette violence, s'était ensuite répandue dans les rues, au-dehors. Un soir, un vol avait été commis, en ville. Quatre hommes armés et portant des cagoules étaient entrés dans le supermarché. Il n'y avait pas de clients, à cette heure-là, mais ils avaient tabassé le directeur et vidé le coffre avant de remonter la rue principale en tirant sur les réverbères. Jamais une telle chose ne s'était produite auparavant. La ville était depuis toujours un lieu où l'ennui constituait une forme de violence, et pendant des jours et des jours on ne parla plus que de l'attaque et des bandits.

Le directeur vint à l'hôpital. Il avait été frappé à la tête avec la crosse d'un revolver et je dus recoudre une plaie profonde au-dessus de son œil. En état de choc, l'homme répétait sans cesse son histoire à coups de phrases sans suite : comment ils avaient surgi de nulle part, le visage invisible.

— Ils conduisaient quel genre de voiture ? demandai-je. Vous l'avez vu ?

— Je l'ai parfaitement vue. Une Toyota blanche.

Une voiture blanche. La voiture garée devant la baraque de Maria était-elle une Toyota ? Je n'en savais rien – le langage des marques de voitures m'était étranger – mais dans mon esprit l'image prenait des allures de certitude. Évidemment, ça ne signifiait rien ; des milliers de voitures blanches circulaient sur les routes. Pourtant, cela signifiait quelque chose pour moi. En sortant le soir, j'étais plus vigilant, plus prudent qu'avant.

Je ne retournai pas chez Maria. J'attendais de voir ce que Laurence ferait. Lors de mes sorties, je me rendais chez Mama et n'en repartais qu'une fois ivre.

Le colonel Moller aussi était souvent là. Comme moi, il était assis, solitaire, dans un recoin plus sombre. Comme moi, il surveillait toujours tout. L'éclat de ses yeux perçait la pénombre et un soir il leva son verre dans ma direction, en guise de salut ironique.

Je mis du temps à comprendre que je venais là en partie pour le voir. Soir après soir, seul le plus souvent. Pas pour lui parler, je ne voulais pas lui parler, uniquement voir sa silhouette décharnée assise au milieu de la fumée, du brouhaha des voix et de la musique. Une vision qui n'avait rien de réconfortant – les souvenirs qu'il ravivait en moi étaient douloureux comme un os fracturé – dont j'éprouvais néanmoins le besoin.

Évidemment, il n'était pas toujours là. Certains soirs, aucun soldat n'était présent. Je savais alors qu'ils avaient dressé des barrages sur les routes pour fouiller les voitures et se donner l'air de s'activer. Je n'étais pas seul, en ville, à me demander s'il leur arrivait de faire autre chose. On les voyait parfois mettre beaucoup d'ardeur à aller et venir en jeep dans la rue principale, à toute vitesse. Tant d'action, intense et mesurée : cela avait certainement un sens. Je ne les ai cependant jamais vus arrêter qui que ce soit, pendant cette période.

Le changement n'était pas cantonné au-dehors, lointain ; il était aussi en partie proche. Tehogo, qui n'avait jamais été fiable, était maintenant régulièrement absent au travail. Dans les semaines qui suivirent, il m'arriva deux ou trois fois d'être de garde seul, sans assistance. Un jour, au déjeuner, j'entendis les Santander s'en plaindre également. Et lorsque Tehogo, des heures plus tard, arriva d'un pas nonchalant, il ne chercha même pas à s'excuser. Il eut un simple haussement d'épaules et, à mon endroit, un silence hargneux, chargé de sous-entendus.

Ce qui n'incitait pas à aller le chercher. La troisième fois, je me rendis à sa chambre et je frappai. De l'autre côté de la porte, désormais fermée, l'air semblait inerte et suranné. Des heures plus tard, je le vis franchir la grille. Je n'avais plus envie de lui parler et quand il passa près de moi, peu après, il sentait la sueur et ses yeux fatigués étaient injectés de sang.

J'essayai d'en parler au docteur Ngema. Elle ne manifesta guère d'intérêt et le spectre de notre précédente conversation concernant Tehogo continuait à planer.

— Il a des horaires impossibles, Frank, me dit-elle. Il fait le travail de trois personnes, souvenez-vous.

— Je le sais. Mais j'ai l'impression qu'il n'est pratiquement jamais là.

— Il a des problèmes, en ce moment. Un peu de patience, Frank. Tout va s'arranger.

Je n'insistai pas. Les derniers événements étaient trop proches, j'étais assailli de trop de questions. J'attendais que quelqu'un d'autre le remarque et s'en plaigne, ce que personne ne fit. Les gens avaient l'esprit ailleurs, trop absorbés, peut-être, par l'enthousiasme fébrile qui entourait l'hôpital.

Car ce sentiment ne faiblissait pas. L'excitation suscitée par Laurence avec son dispensaire semblait vouloir durer. Je les entendais en parler pendant les repas ou le soir, dans la salle de loisirs. On discutait énormément de la prochaine consultation et de ses conséquences.

Un soir, alors que nous allions nous coucher, Laurence dit :

— Elle a décidé de rester, tu sais. Claudia Santander. Elle ne veut plus rentrer à Cuba.

— Ah, vraiment. C'est bien.

— Elle m'a parlé d'un programme d'antennes médicales mis sur pied à Cuba. Apparemment, on devrait pouvoir organiser quelque chose du même ordre, ici. Elle dit qu'elle a l'impression d'avoir découvert un sens à sa présence. À sa présence ici, je veux dire.

— Bien, dis-je. Elle n'aura jamais mis que dix ans.

Je n'arrivais pas à l'envisager autrement. Cette énergie et ce renouveau servaient à ça : sauver le mariage des Santander. Peu importait que le monde extérieur continue à souffrir de mille maux et calamités pourvu qu'un silence pacifique règne de l'autre côté du mur.

Un jour que j'étais de garde, un vieil homme se présenta. Un garçon l'accompagnait, son neveu ou son petit-fils, qui m'expliqua que le vieil homme était allé à la consultation de Laurence. Raison pour laquelle, dit-il, ils étaient là aujourd'hui. Avant cela, ils ignoraient jusqu'à l'existence de l'hôpital.

Il n'arrêtait pas de sourire, ce vieillard, bien qu'il ne parlât pas un mot d'anglais. Il semblait contaminé par la même fièvre enthousiaste qui imprégnait l'atmosphère de l'hôpital. Mais à l'examen de son cas, il apparut que nous n'avions pas l'équipement nécessaire pour traiter son affection – une cataracte se développait sur un œil. Il lui fallait aller à l'autre hôpital, le vrai, l'opérationnel, derrière l'escarpement. J'écrivis une lettre d'accompagnement, adressée au jeune docteur du Toit, avec lequel je traitais d'habitude.

Le visage du vieil homme reflétait son trouble tandis que je le congédiais. C'était ainsi : les bons sentiments générés par la consultation étaient réduits à néant.

Je ne parlai pas du vieil homme à Laurence. Il y aurait peut-être vu une victoire, malgré tout. Peut-être pas. Pendant cette période de latence, de temps suspendu, il y eut chez Laurence une pesanteur inédite jusque-là.

C'était à cause de Maria, je le savais. Il essayait de prendre une décision. Alors qu'il ne l'avait plus jamais mentionnée, la question restait en permanence entre nous et, à ses moments perdus, il continuait de me regarder, cherchant à savoir ce que je pensais. Je ne disais rien. Toujours fermement décidé à agir, à prendre une initiative, je voulais pousser les choses jusqu'au point de rupture des règles tellement commodes de Laurence.

Enfin vint le jour où il regroupa quelques ustensiles et instruments de base. Sans ostentation mais en s'arrangeant pour que je le voie. Il prit une grande cuvette et un morceau de savon à la cuisine. Un drap propre dans l'armoire à linge. Il déposa une paire de gants, un spéculum, un cathéter et une bougie de Hegar sur son lit, comme s'il établissait un inventaire. Et il s'assit sur le rebord de la fenêtre, le menton sur les genoux, le regard tourné vers l'extérieur.

Je compris que son choix était fait, qu'il me proposait d'en faire un à mon tour. Il était encore temps. Je pouvais l'arrêter. Jusqu'au dernier moment, jusqu'à ce qu'il franchisse la porte, je pouvais toujours lever le bras et dire : *Attends, Laurence. Laisse-moi y aller à ta place.* Ou : *Ne fais pas ça, Laurence. Laisse-moi lui parler d'abord.*

Trop de jours avaient passé sans que je sois allé lui parler, et cette journée passait, à son tour, sans que je retienne Laurence ; je savais maintenant que je laisserais faire. J'avais dit la vérité : elle lui avait parlé à lui, pas à moi. Après tout, l'enfant n'était probablement pas de moi ; et s'il l'était, c'était vraisemblablement la seule solution. Je ne pouvais pas changer le cours des choses. Ainsi, je le regardai faire, et je ne dis rien.

Plus tard, ce soir-là, il rassembla le tout avec les gestes lents de quelqu'un qui souffre. Il enfila sa blouse blanche. Il se dirigea vers la porte, s'arrêta.

— Frank.

– Oui, dis-je, trop vite et trop fort.

– Qu'est-ce que tu fais ce soir ?

– Je ne sais pas. Je ne vais pas bouger, je crois. Je suis fatigué.

– Si tu veux, on peut sortir, tout à l'heure. Boire un verre.

– Où ? Chez Mama ? J'y étais hier soir, je pense que je ne vais pas le supporter encore une fois.

– Ah, bon.

– Et puis je suis fatigué. On verra plus tard.

– D'accord.

Sans lever les yeux, je sentis que le pas de la porte était vide. Il était parti. Je restai un moment assis, puis j'allai à la fenêtre observer sa silhouette solitaire qui traversait le parking pour rejoindre sa voiture avant de démarrer et disparaître lentement dans le noir.

Il partit longtemps. Trois ou quatre heures, au moins. Je n'éprouvais rien, mais je constatai, dans mon propre comportement, que je perdais le fil. J'arpentais le minuscule carré de sol à la manière d'un énorme prédateur enfermé dans une cage. Je finis par me mettre au lit et éteindre la lumière, sans trouver le sommeil.

J'entendis sa voiture arriver, tourner pour franchir la grille et s'arrêter. J'entendis la portière et son pas lent et lourd s'approcher le long du chemin.

Lorsqu'il ouvrit la porte, je demeurai immobile mais il ne fit pas attention à moi. Son sac paraissait lesté de pierres. Et lui semblait avoir transporté des pierres pendant un long trajet. Il se laissa tomber sur son lit, marmonna quelque chose pour lui-même, dans le noir, avant de passer dans la salle de bains. Le bruit de l'eau me parvenait, elle coulait, coulait sur lui qui n'en finissait pas de se laver.

Je me levai et allumai la lumière. Avec le retour de l'été, la nuit était calme, étouffante, et je me rendis soudain compte à quel point il était difficile de respirer. J'allai ouvrir la fenêtre et restai un moment à genoux sur son lit pour sentir l'air sur ma peau.

Il revint, nu et dégoulinant. Il me regarda et s'assit sur mon lit, en face de moi. Durant un bon moment, aucun de nous deux ne parla. J'étais en caleçon, et nos deux corps dévêtus dans le désordre de la chambre donnaient l'impression que nous étions égarés dans quelque intimité labyrinthique. Son visage, sombre et différent, était celui d'un étranger, pour moi.

Je ne le compris que plus tard : la qualité, quelle qu'elle ait été, qui donnait sa distinction à son visage, avait disparu.

– Pourquoi as-tu fait ça ? dit-il.

La question était étrange.

– Je n'ai rien fait, dis-je. Je suis resté ici tout le temps.

– Oui.

Il hocha la tête. On aurait cru que quelque chose allait suivre, mais il n'ajouta rien. Enfin, la suite arriva. Mais ce n'est pas lui qui parla.

– Si tu as des reproches à faire, dis-je, tu n'as qu'à te les faire à toi-même. Nous étions très bien, ici. Tout allait bien. Et tu es arrivé. Tu ne pouvais pas laisser les choses comme elles étaient. Non, il fallait que tu fasses mieux. Il fallait que tu arranges tout, que tu améliores la vie de chacun. Regarde où nous en sommes.

– Et on en est où ?

– Exactement au même point. Sauf que tout le monde est mal à l'aise, maintenant.

– Je ne trouve pas qu'on en soit au même point. C'est mieux qu'avant. Je ne regrette pas ce qui a été fait.

– À cause d'une malheureuse petite consultation dans le bush.

– C'est ce que tu penses ?

– Je n'étais pas là. Mais je sais. Qu'est-ce que tu as fait ? Rien. Parler, parler, parler. Une communication sur le sida. Une communication sur l'hygiène et la santé. Bon Dieu, Laurence. Ces gens ont besoin de traitements, de médicaments, mais nous n'en avons pas. Parler, c'est tout ce que tu peux leur offrir.

– C'est un début. Il y aura une suite.

– Quelle suite ? Une autre consultation dans quelques semaines. Pour aller avec l'électricité.

– Tu trouves que ce n'est rien, l'électricité ? On voit que tu n'as jamais passé un seul jour sans électricité.

– Je ne dis pas que ce n'est rien. Mais le fait qu'un petit village ait l'électricité, ce n'est rien. Un gadget, un symbole. Comme ta médecine, Laurence. Ils sont encore des millions à ne recevoir aucune aide. Tu crois vraiment que des discours et quelques lampes allumées vont sauver le monde ?

– Comment veux-tu changer les choses, si tu n'agis pas ?

– Les choses sont comme elles sont, tu n'y peux rien.

– Bien sûr que si !

Nous nous regardions, à la fois stupéfaits et écœurés.

– Ils ont raison, à propos de toi, constata-t-il amèrement. Je ne m'en étais pas rendu compte avant. Maintenant, je vois.

– Qu'est-ce qu'ils disent de moi ?

– Que tu ne fais pas partie de… du nouveau pays.

– Le nouveau pays, dis-je. C'est quoi, ce nouveau pays ?

– C'est partout autour de toi, Frank. Tout ce que tu vois. On recommence, on repart de zéro.

– Des mots, dis-je. Des mots et des symboles.

– Non. C'est la réalité. C'est ce qui est en train de se passer.

– Je ne crois pas.

– Pourquoi ? Pourquoi es-tu comme ça ?

Il y avait de la colère dans la question, pas dans sa voix. Il était plutôt curieux et triste.

– Tu n'es pas méchant.

– Peut-être que si.

– Tu n'es pas méchant. Simplement, tu dis non à tout. C'est inscrit en toi. Je ne sais pas ce qui t'est arrivé. Tu ne crois en rien. Je ne suis même pas sûr que tu croies ce que tu dis en ce moment.

– Je le crois.

– C'est ce qui fait que tu ne peux rien changer. Parce que tu ne peux rien changer en toi.

– Tu t'imagines que c'est aussi simple ? Au milieu de ta vie, il y a juste un mot, oui ou non, et tout le reste en découle ?

– Pourquoi pas.

Je le regardais, pourtant je ne le voyais pas. Je voyais autre chose. Une image s'était formée, celle de Laurence et moi comme les deux brins d'une corde. Torsadés dans une tension qui nous unissait ; nous étions différents l'un de l'autre bien que notre nature fût d'être ainsi liés et entrelacés. Quant aux points entre lesquels nous étions tendus – une corde ignore sa raison d'être.

L'image demeura un moment avant de s'évanouir tandis que le calme était revenu entre nous. La charge de l'émotion refluait ; il avait l'air sombre et fatigué. Au bout d'une minute, il se retourna et rabattit le drap sur lui. J'attendis un peu puis j'éteignis la lumière et m'allongeai à mon tour. Nous n'étions pas dans les bons lits et cependant ce n'était pas si étrange.

J'étais épuisé, moi aussi, les os chargés de sable, mais je mis du temps à m'endormir. Ce qui venait d'être dit était faux ; la conversation avait été fausse ; sans rapport avec le véritable enjeu de la soirée. Et c'était pourtant le seul échange possible, réel.

Le lendemain matin, c'était passé. Lorsqu'il se leva, le poids qu'il avait rapporté avec lui la veille avait disparu. Il s'activait dans la chambre, en sifflotant entre ses dents. Je me redressai sur le lit et il me salua en souriant.

– Bonjour, Frank. Tu as bien dormi ?

Pour lui, la soirée ne semblait pas avoir eu lieu. C'était moi qui me sentais lourd. Le poids s'était déplacé de lui sur moi ; un échange subtil, survenu pendant la nuit. J'étais plus vieux, plus grand, plus lent.

Je pensais à présent, je pensais vraiment, à ce qui s'était passé la nuit précédente. Je le revoyais traverser le parking dans le noir. Mon esprit continuait, allait plus loin : sur la longue route qui s'étirait dans la lumière des phares et le conduisait jusqu'au petit taudis sous les arbres… et à l'intérieur.

Maintenant seulement, trop tard, je pensais à Maria. D'une certaine manière, tout tournait autour de Laurence, jusque-là ; elle avait été laissée de côté, un problème abstrait que je ne parvenais pas à résoudre. Mais aujourd'hui, elle n'était plus abstraite ; elle était solide, chaude, réelle, un corps humain avec lequel j'avais couché. Et je n'avais rien fait pour l'aider.

J'étais de garde ; je devais m'habiller. Laurence se préparait, lui aussi, avec des gestes rapides et appliqués, comme s'il se rendait quelque part.

– Qu'est-ce que tu fais ?

Il s'interrompit, la chemise à moitié boutonnée.

– Je vais là-bas.

– Où ?

– Tu sais bien où.

Il termina de boutonner sa chemise sans me regarder.

– Je lui ai dit que je passerais la voir aujourd'hui.

– Tu ne peux pas y aller maintenant. Il y aura des gens… En pleine journée.

– Je suis de garde ce soir.

– J'irai.

– Je lui ai dit que je…

– Je m'en occupe, Laurence.

Le ton de ma voix nous glaça tous les deux. Il me dévisagea, haussa les épaules et détourna les yeux.

Les heures de garde s'étiraient paresseusement, je ne pensais qu'à elle. Quand je retournai dans la chambre en fin de journée, il était trop tôt pour aller chez Maria. Je fis quelque chose d'étrange. Je nettoyai la chambre. Je descendis en ville acheter du détergent, du savon, des torchons ; au retour, je lavai et récurai le sol, les murs, les vitres. Dans les moindres recoins. À la fin, je me sentis un peu mieux, comme si une marque infamante avait été effacée.

Incapable de rester en place, je pris la voiture alors qu'il était encore tôt, trop tôt pour aller chez Maria, et je roulai quelque temps en ville. Les rues vides, les douilles noires des lampes, les yeux absents des fenêtres aveugles posés sur moi. Puis vint l'heure de prendre la route.

Arrivé au massif d'eucalyptus bleus, je bifurquai pour me garer pratiquement là où était la voiture blanche quelques nuits auparavant, les phares orientés à l'opposé de la route. Ils n'éclairèrent que de la poussière, le bush, un espace vide ; la baraque avait disparu.

14

Un instant, je crus possible de m'être trompé d'endroit. Mais en descendant de la voiture, je vis le contour de la baraque : un carré plus pâle que le sol environnant, pareil à la marque laissée par un plâtre sur une peau bronzée. Quelques planches et des bouts de plastique traînaient alentour.

Tout s'était déroulé ici. Sur cette infime surface de sable. Je ne voyais plus qu'une vague portion de bush à la place de ce qui avait semblé être un véritable monde. Dans deux semaines, ce serait recouvert d'herbe et de buissons.

La poussière que je déplaçais en marchant s'élevait en fumée dans la lumière des phares. Je m'en éloignai pour suivre le chemin qui menait au village. Une distance de vingt ou trente pas que je n'avais encore jamais parcourue. À mon approche, un chien se mit à aboyer ; un autre prit le relais et ce chœur furieux accompagna mon entrée dans le cercle de terre nue, centre du village. Les petites cases en terre m'entouraient. Tout n'était que poussière, excréments et cendres de feux anciens ; tel que je savais que ce serait.

Il n'y avait personne. Pas une lumière, rien que le mouvement des chiens furtifs, de plus en plus proches. Je restais là, dans l'attente d'une possible rencontre. Or, jamais je n'avais été si seul.

Je savais qu'elle pouvait être n'importe où. À quelques pas de moi, dans une de ces cases ou dans celle d'un des innombrables villages disséminés dans le bush. Ou encore en terre, dans une tombe peu profonde. Pour moi, elle avait basculé en marge du monde.

Je fus submergé par un flot d'angoisse, comme si ce sentiment était le premier que j'avais jamais éprouvé : son âpreté, sa puissance ressemblaient presque à l'amour.

Les chiens approchaient. J'étais un intrus. Je ne venais pas, à la manière de Laurence Waters, en plein jour, chargé de médicaments et de bons conseils ; je surgissais du noir escorté par les grondements féroces de chiens squelettiques. Il ne me restait plus qu'à rebrousser rapidement chemin jusqu'à la voiture et partir.

Je roulai très vite. On aurait dit que je me précipitais pour ne pas rater un rendez-vous alors qu'il n'y avait nul endroit à atteindre au terme de ce trajet sans destination.

À moins que ç'ait été l'hôpital, la chambre et Laurence assis dans son lit en train d'écrire quelque chose sur un morceau de papier.

Il leva à peine les yeux vers moi.

– Salut, dit-il d'un ton préoccupé. Je suis en pleins préparatifs.

– Préparatifs ?

– Ma consultation. Peu importe. Oh, j'allais presque oublier !

Il me lança un regard aigu.

– Comment va-t-elle ?

– Elle va bien, dis-je en détournant le visage. Il avait dû voir ce que je ressentais et croire en comprendre la raison, mais ce n'était pas le cas.

Le lendemain matin, je retournai au village. Je me garai près de l'endroit où était autrefois la baraque ; je descendis à nouveau le sentier. Il y avait du monde, maintenant : des enfants jouaient, une femme écossait des haricots sur le pas de sa porte, deux hommes âgés étaient plongés dans une conversation. Un gros cochon se prélassait dans la boue et les chiens de la nuit précédente sortirent de l'ombre en aboyant.

J'espérais apercevoir un visage familier, la femme qui portait l'eau et la nourriture à Maria, quelqu'un de connu. Mais non. Et l'homme auquel je m'adressai, le seul que j'aie pu trouver qui comprît l'anglais, ne savait pas grand-chose au sujet de Maria. Oui, il y avait eu une baraque. Elle avait été démontée. Il pensait que les gens étaient partis ailleurs, là-bas, quelque part. D'un geste, il désigna les collines bleues, au loin.

Oui, oui, plusieurs vieilles femmes acquiesçaient en soupirant. Ils étaient partis là-bas.

Est-ce qu'elles connaissaient Maria ? demandai-je. Est-ce que l'une d'elles était une amie à elle ?

À leur air perplexe, je vis qu'elles n'avaient jamais entendu ce nom. C'était ce que je pensais : son véritable nom n'était pas celui-là, et elle ne me l'avait pas dit.

Sans beaucoup d'espoir, je m'adressais à elles. Si l'une d'elles pouvait trouver Maria, dis-je, et me l'envoyer, elle aurait une récompense. Je sortis mon portefeuille pour le leur montrer.

– Qui êtes-vous ? demanda le jeune homme, mon interprète.

– Je m'appelle Frank Eloff. Je suis médecin. Je travaille à l'hôpital, en ville.

De larges sourires se formèrent sur leurs visages déconcertés. Les conversations vibraient autour de moi. L'hôpital ! Le dispensaire ! Le souvenir de cet événement récent générait un véritable bonheur dans l'assistance, comparable au nouvel esprit qui régnait au sein de l'équipe de l'hôpital.

J'avais presque oublié. Évidemment, ça s'était passé ici. Et j'entendis une des vieilles femmes qui, au demeurant, ne parlait pas un mot d'anglais, dire « Docteur Laurence, docteur Laurence » en arborant une joyeuse grimace édentée.

Lorsque je les eus quittées, de retour à l'hôpital, le poids que j'avais en moi avait légèrement changé de forme. Oui, je cherchais Maria, mais son absence avait contaminé d'autres zones limitrophes. Pour la première fois, ce que j'avais dit ou fait ces derniers jours me sembla une sorte de folie. Et dans ma tête, l'étranger maléfique, celui à qui il était facile de tout reprocher, paraissait de moins en moins éloigné de moi.

Il en fut ainsi au long de l'interminable après-midi torride. Laurence était absent et je réfléchissais, étendu sur mon lit, en nage. La culpabilité que j'éprouvais envers Maria prenait l'aspect d'une négligence et d'un aveuglement immenses. J'étais misérable. Ce que je lui avais fait, ou ce que j'avais manqué de lui faire, ne différait pas, en fin de compte, de ce que j'avais fait ici, plus près de chez moi. À l'hôpital. Dans cette chambre.

Il faisait complètement noir quand Laurence rentra. C'était des heures plus tard, je n'avais pas bougé de mon lit. Il alluma la lumière et m'examina stupéfait.

– Qu'est-ce que tu fais ?

– Rien.

— Pourquoi tu as éteint la lumière ? Tu dormais ?

— Non, je pensais à des choses.

— Quelles choses ?

Au prix d'un énorme effort, je fis pivoter mes jambes pour m'asseoir. Rien d'autre ne vint.

Laurence me dévisageait.

— À quoi ?

Tout était contenu, pressé contre mes dents, impossible à libérer et je ne répondis rien. En silence, je secouai la tête.

Il me sourit, son large visage brillait comme un badge.

— Tu ne devrais pas rester autant seul, Frank, ça finit par te déprimer.

— Laurence...

— Je n'ai pas le temps maintenant. Je prends vite une douche et je vais boire un verre avec Jorge et Claudia. Tu veux venir ?

— Non.

Il ne m'entendait pas. Je voulais parler vite, prononcer le plus de mots possible, dans l'espoir d'en dire un qui serait le mot juste, celui qui m'absoudrait, mais il était déjà sur le pas de la porte de la salle de bains.

— Laurence.

— *Ja* ?

Il s'arrêta, se retourna et secoua la tête.

— Eh, du calme, Frank, c'est pas grave.

Et il passa la porte. Assis sur le lit, j'écoutais l'eau gicler, ruisseler. Une eau qui n'effaçait rien.

15

Je partis à sa recherche. Du moins le pensais-je, bien que toute intention noble se soit rapidement évanouie. Ce souvenir particulier a le grain flou d'un rêve. Je ne suis même pas sûr qu'il s'agisse de cette nuit-là ou d'une des nuits suivantes. Je me vois assis sur le lit pendant que Laurence continue de se laver dans la salle de bains à côté alors que la détresse m'entraîne dans différentes directions jusqu'à ce qu'une clarté soudaine se fasse en moi.

Je me vois quittant la ville en voiture. Mais l'image est faussée, composée des autres nuits où j'ai pris cette route. En fait, je marchais. Pour une raison aussi évidente que logique : une voiture garée sur cette portion de route aurait immanquablement attiré l'attention. Je marchais donc à grands pas sur la bande de gravier dans l'air tiède et immobile, avec la forêt de part et d'autre et la ville disparaissant rapidement derrière moi.

Le souvenir réel débute seulement à mon arrivée à la bifurcation vers la gauche. J'étais passé là une bonne centaine de fois : le chemin de terre envahi d'herbes qui menait à l'ancien camp militaire à travers le bush. Même si je ralentissais, d'une façon quasi rituelle, dès que j'atteignais cet endroit de la route d'où le camp était visible, je n'y étais jamais allé. J'ignore pourquoi.

Dans mon esprit, il était inutile d'aller visiter ce lieu – laid et abandonné, à quoi bon ? Mais la véritable raison se trouvait au fond de moi, je le sentais en m'engageant sur le chemin, pareille à une ligne de peur que je franchissais pour la première fois. Je ne pensais plus à Maria. Ni à grand-chose d'autre. Mon attention, accrue et stimulée par la crainte, se portait sur les ténèbres qui se pressaient de tous côtés. Les arbres semblaient anciens et attentifs. Sous mes pieds, l'herbe poussait dru à travers le sol compact. La nuit avait quelque chose d'une lentille sous laquelle le moindre de mes mouvements se trouvait grossi pour le compte de quelque œil énorme.

Le chemin descendait jusqu'à un ruisseau, où une eau peu profonde murmurait sur des pierres, pour remonter ensuite vers une crête. Le sommet de la crête était planté d'un fouillis d'arbres dont les feuilles finissaient par s'éclaircir et dévoiler la clôture extérieure du camp. Je voyais un motif métallique délicat, répété avec exactitude, contre le ciel. Près de là, un grand mât avait servi de support à un projecteur. Il était désormais délicatement appuyé contre un arbre, alourdi à son extrémité par des lianes.

Je découvris alors l'entrée principale. S'il y avait une sentinelle quelque part, ce serait là. J'avançai sur la droite et escaladai une pente abrupte en direction du sommet de la crête. Ainsi, j'évitais certains dangers manifestes mais, à mesure que je glissais et trébuchais sur les pierres, le visage et les mains lacérés par les branchages, je me rendais compte combien j'étais mal équipé pour jouer les héros machos dans l'obscurité. Je voyais mon véritable moi, mou et empâté, dans la lumière et la chaleur de chez Mama, buvant du whisky en conversant avec Laurence, et dans l'écart entre cette image et moi s'inscrivait la déchirure qui traversait le milieu de mon existence. Qui étais-je, qu'est-ce que je faisais ici ? Un sanglot étranglé par l'effort m'échappa au moment où je me hissais enfin au sommet de la crête et me retrouvais au bord de la clôture, à l'extérieur.

Du camp, il ne restait que trois ou quatre tentes, avachies et délavées, faites d'ombres plus que de formes. Entre elles, un espace vide où traînait ce qui semblait être des pièces de mécanique abandonnées. Aucun mouvement, aucune forme humaine nulle part. Je ne sais pas à quoi je m'attendais – des soldats autour d'un grand feu, la voiture blanche, garée à proximité. Maria ligotée à un arbre, un bâillon sur la bouche. Néanmoins, ce calme d'encre noire contenait peut-être une plus grande menace. Je restai longtemps sans pouvoir bouger, pris dans les mailles du silence tandis que ma sueur séchait en une seconde peau froide.

Je devais entrer. Le grand cercle de terre nue m'attirait. J'avais cependant la sensation d'avancer dans de l'eau profonde tandis que je forçais mes jambes à se mettre en mouvement. Engourdi, je rampai sous la clôture, là où elle s'était affaissée, parodiant au ralenti les gestes furtifs d'un cambrioleur. Et je passai de l'autre côté. Immobile à nouveau, j'écoutai. Le seul son audible était la cacophonie de mon cœur et de mon souffle.

Je me détendis un peu. Si quelque chose avait dû se passer, cela aurait probablement déjà eu lieu. En vérité, l'endroit n'était qu'absence et abandon. J'avançai, avec de plus en plus de facilité, de légèreté, passant devant une tente, puis une autre, dans l'arène de gravier déserte.

Une brise légère s'était levée. Les rares brins d'herbe frémissaient. La tente la plus proche émit comme un soupir. Je n'avais plus peur ; c'étaient les vibrations habituelles de la forêt la nuit.

Alors, il y eut un mouvement. Devant moi, au moment même où je ne cherchais plus. Je l'avais senti sans le voir : un élan bref, soudain, un fléchissement de l'obscurité. Porteur d'une vie et d'une volonté propres. En une seconde, ma terreur était revenue. Ce que je redoutais et qui m'effrayait le plus, les fantômes de l'esprit, s'était condensé dans un nœud – une présence surgie des ténèbres.

Je tombai à la renverse et me relevai aussitôt pour prendre la fuite sans même m'en rendre compte.

Le miroir me renvoya l'image d'un homme terrorisé au teint plombé. Mes vêtements étaient sales, hérissés d'épines et de gratterons. La poussière s'était incrustée dans ma peau, et sur mon front luisait une coupure écarlate.

Je restai longtemps sous la douche. L'eau chaude me calma et ensuite, tandis que je me séchais et mettais des vêtements propres, j'eus la sensation de renouer avec le monde normal. Et à mesure que je reprenais mes esprits se posait la question de savoir ce que j'avais vu. Rien, en réalité – un frisson brusque dans le noir. Cela aurait pu être une antilope, n'importe quel animal nocturne surpris par mon approche inopinée. Ou juste une rafale de vent.

Ces alternatives rationnelles me calmèrent davantage. Pourtant, sous elles, à la racine, la terreur irrationnelle persistait. En faisant un effort de mémoire, je pouvais revivre cet instant primitif.

Je m'endormis en laissant la lumière allumée. À mon réveil, Laurence était là et, pour la première fois, je trouvai rassurante la vue de ses vêtements en désordre par terre. Dans la lumière du jour, tellement chaude et franche, l'expédition ne semblait plus être qu'un délire. Elle n'avait plus rien de réel et le seul élément tangible demeurait cette blessure sur mon front.

– Comment tu t'es fait cette coupure ? dit Laurence quand il se réveilla un peu plus tard.

– Je me suis cogné contre l'armoire à médicaments.

– Moche, dit-il, et ce fut tout.

Et c'était vrai, je n'avais fait que changer de vérité. Quelques mots et il ne subsistait plus rien de l'affaire.

Je fus cependant troublé tout au long de la journée. J'étais de garde et les couloirs vides devenaient un écran sur lequel mon esprit se repassait ses images. Aucun malade ne vint ce jour-là. Pas un. Tehogo ne se présenta pas non plus pour prendre son service. J'étais seul, cerné par des heures et des heures de vide. Le soir, épuisé et terrassé par l'ennui, je m'endormis facilement, pour une fois.

Le lendemain matin, une croûte s'était formée sur la coupure de mon front. La cicatrisation commençait. En reprenant mon service, je nourrissais une certaine colère à l'égard de Tehogo toujours absent. Cette fois, j'allai le chercher mais sa chambre était à nouveau fermée et les coups frappés à la porte restèrent sans réponse.

Il ne se montra pas le lendemain non plus. Ni le jour d'après. Rapidement, tout le monde considéra la chose comme un fait établi : Tehogo était parti.

J'essayai d'aborder le sujet à la réunion d'équipe suivante. Qu'envisageait-on de faire, je voulais le savoir, à propos de Tehogo ? Allait-on le remplacer ? Serions-nous contraints de nous débrouiller sans aucune aide ?

Le docteur Ngema ne s'y intéressait toujours guère.

– Hum, eh bien, pour l'instant, oui, dit-elle. Il se pourrait qu'il revienne.

– Qu'il revienne ?

– On ne pouvait plus se fier à lui, ces temps-ci. Chacun le sait. Il a peut-être éprouvé le besoin de partir quelques jours.

– Et vous le reprendriez, après ça ?

– Eh bien, oui. Bien sûr. Autrement… que faire ? Vous voulez que je recrute un remplaçant ? Jamais nous n'obtiendrons un infirmier diplômé.

– Tehogo n'a jamais eu de diplôme, de toute façon.

– Oui. Mais il connaissait le travail. Quelqu'un de nouveau devra tout apprendre depuis le début. Et puis, ce n'est pas comme s'il y avait beaucoup à faire. On peut se débrouiller.

Il y avait une note d'irritation dans sa voix. Jamais le docteur Ngema et moi ne nous étions parlé ainsi auparavant, et certainement pas en public. Je regardai les autres médecins qui baissèrent les yeux. Personne n'était convaincu du bien-fondé de ce combat.

– C'est une question de principe, dis-je, dans une ultime tentative. Pourquoi le reprendre, après un comportement pareil ? Il nous a laissés tomber, tout de même.

– C'est vrai, admit-elle, puis elle me regarda droit dans les yeux. Ç'a été très dur, pour lui, ces derniers temps, Frank. Et vous le savez.

Et vous le savez. Réduit au silence par cette accusation, j'abandonnai définitivement. J'avais le sentiment que tous savaient pourquoi j'insistais tant : la chambre de Tehogo se libérait enfin, de la façon la plus inattendue.

On n'y fit plus allusion. En vérité, je ne pensais plus tellement à la chambre de Tehogo. C'était une question accessoire, qui avait perdu de sa pertinence. Dans quelques mois, Laurence aurait achevé son service civil et il partirait, me laissant ici. Seul.

Il y eut un autre vol en ville. À la station-service, cette fois, en haut de la rue principale. Un scénario identique au précédent : des hommes masqués, dans une voiture blanche, disparaissant dans la nuit.

L'histoire était sur toutes les lèvres avant le lendemain. Maintenant, les théories et les conjectures se liaient entre elles. Celle qui revenait le plus souvent voulait que les malfaiteurs fassent partie des soldats déployés en ville. Quelqu'un avait parlé à quelqu'un qui connaissait un soldat qui lui avait dit… Avant la mi-journée, la version avait acquis la solidité d'un fait.

On avait assisté à un changement d'attitude envers les soldats, dernièrement. À leur arrivée, leur présence avait été perçue comme le signe d'un renouveau pour la ville. Mais à mesure que le temps passait, les sauveurs étaient de plus en plus apparus comme une bande de fainéants, bruyants et arrogants. Les gens leur en voulaient. Il y avait eu quelques incidents, des altercations avec les commerçants et cette violence ordinaire, le soir, chez Mama. Ainsi, sans doute était-ce inévitable, la peur s'était retournée contre eux, ils se retrouvaient directement accusés.

Je savais que ce n'était pas les soldats. Et ma propre peur me poussa à agir. Je descendis chez Mama, le soir qui suivit le second vol. Cela n'avait rien d'exceptionnel, j'y allais souvent, mais j'avoue être allé là-bas dans un but en partie établi.

J'ignore ce qui se serait passé s'il n'y avait eu une opportunité, un moment. Je ne recherchais peut-être que le chaos et la confusion habituels pour continuer à être sur le point d'agir. Or, l'occasion s'est présentée. À mon arrivée, il n'y avait pas de trace du colonel Moller. Quelques soldats traînaient, c'était tout. Plusieurs heures et plusieurs verres plus tard, alors que l'endroit s'était considérablement rempli, j'entrevis sa longue silhouette dans une faille de la foule.

Assis sur une chaise près de la table de billard, il suivait la partie. Il me tournait le dos. Je voyais son cou, la ligne stricte de sa coupe de cheveux. Il n'était pas en uniforme, ce soir. Il portait un jean et un tee-shirt bleu avec un petit personnage souriant dessiné au dos. J'observais les poils blonds de ses bras qui changeaient de couleur dans la lumière selon qu'il levait ou reposait son verre, le levait, le reposait. Pour le reste, il ne bougeait pas.

Il me fallut un certain temps avant de lui parler. Je m'efforçais de rassembler mon courage. Il y avait un confort pervers à être si près de lui, suffisamment pour étudier les coups de soleil sur ses oreilles, sans qu'il semble conscient de ma présence. Puis, l'assistance se fit à nouveau moins dense et je pensai qu'il risquait de partir, que l'occasion serait perdue.

Je m'approchai et lui parlai à l'oreille.

– Je sais quelque chose, dis-je.

Il se tourna brusquement et me regarda.

– Qu'est-ce qu'il y a ?

– Si vous voulez trouver ce que vous cherchez, lui dis-je, allez à l'ancien camp militaire à l'extérieur de la ville.

Et je m'éloignai d'un pas hâtif. Dans cette foule, il était aisé de disparaître en un instant. C'était ce que je cherchais : un départ rapide après une mystérieuse déclaration.

J'étais persuadé qu'il ne saurait pas qui j'étais. Comment l'aurait-il pu, dans un bar très fréquenté par une faune haute en couleur mêlée d'une clientèle de passage ? Je me croyais invisible, insignifiant. Mais lorsque je franchis la grille de l'hôpital, des phares pivotèrent derrière moi et sa jeep vint lentement s'arrêter tout près.

J'étais confus et j'avais peur. C'était la conversation dont je ne voulais pas, dans le dernier endroit que j'aurais choisi. Je sortis de la voiture et marchai vers lui, tentant de retrouver, à travers l'affrontement, une force perdue.

Lui semblait seulement amusé. Il ne descendit pas de son siège, me toisant d'un air important, un fin sourire sur les lèvres.

– Qu'est-ce que tu as dit, docteur ? Je n'ai pas bien compris.

– Comment vous savez qui je suis ?

– Je t'ai déjà vu. Les peaux blanches sont rares, par ici. Je me suis renseigné sur toi.

Je levai les yeux vers lui pour les baisser aussitôt, incapable de soutenir la fixité de son regard. J'étais transporté en arrière, dans le petit camp isolé près de la frontière. Il me fit immédiatement peur, les années passées semblaient effacées. Il avait pris de l'âge, du poids ; certaines lignes autrefois dures et nettes s'étaient estompées. Pourtant, il y avait, au-delà de son visage, quelque chose d'autre, de plus profond, qui me terrifiait. Il était retiré au centre de lui-même, en un point infime et inébranlable, à la manière de ceux qui vivent dans la dévotion à une idée unique. Ce qui est parfois beau, chez un moine, ne l'était pas chez lui.

— Vous cherchez le Général, dis-je.

— Le Général ?

— Voyons. Vous savez de qui je parle.

Il secoua la tête, l'air perplexe.

— Tu veux dire le nègre qui tenait la baraque, ici…

— Oui, c'est ça.

— Il y a longtemps qu'il est parti, docteur. Pourquoi est-ce que je le chercherais ?

— Je croyais que vous étiez ici pour sécuriser la frontière. Pour empêcher les gens de passer.

— Possible.

— Eh bien, c'est votre homme. C'est lui, le Général. Il dirige les opérations. Toute la contrebande. L'ivoire, la drogue, les gens. Tout le monde le sait. Je vais vous dire autre chose. Ceux qui ont fait les deux raids, ici, en ville, ce sont ses gars à lui. Le supermarché et le garage. Et je sais où ils sont.

J'avais pas mal bu et, maintenant qu'ils étaient lancés, les mots m'échappaient sans retenue. Il n'y avait aucun changement sur son visage. Il m'observait avec la même vigilance prudente, le regard bleu imperturbable.

— Qui t'a dit ça, docteur ?

— Tout le monde est au courant.

Il eut un petit sourire satisfait.

– Et tu penses que je le trouverai dans l'ancien camp militaire.

– Oui.

– Tu l'as vu là-bas, docteur ?

– Non, je ne l'ai pas vu. Je sais qu'il y est.

– Comment tu le sais ?

– Je ne peux pas expliquer, commandant. Je le sais.

Il me reprit doucement :

– Colonel.

Cette petite gaffe me fit rougir. Cependant, je voyais que ça ne l'intéressait pas. Il m'avait suivi jusqu'ici par curiosité, mais il avait décidé que j'étais dingue, qu'il pouvait m'écarter d'un soupir accompagné d'un haussement d'épaules.

– Vous irez voir ?

– Possible.

– Il y a autre chose…

– *Ja ?*

– Il se pourrait qu'il y ait une femme, là-bas. Avec eux. Il ne faut pas lui faire de mal, colonel. Elle n'est pour rien dans tout ça.

– Une femme ?

– Avec un homme et une voiture blanche.

Il me regarda fixement et secoua la tête, et même à travers le bleu glacé de ses yeux je percevais son mépris. Il avait quitté l'intérieur chaleureux du bar pour une conversation absurde sur un parking. Il tourna la clé de contact.

Je lui agrippai le bras.

– C'est vrai, dis-je. Allez-y, vous verrez.

– Le Général est mort. Il n'y a pas de général. Sauf moi…
dans quelques années, docteur, je serai général.

– Il n'est pas mort, criai-je en me penchant sur lui, fort de
ce que je savais, et qui menaçait de se déverser hors de moi.

Soudain, son bras s'arracha à mon étreinte alors qu'il
embrayait et que la jeep avançait. Je regardai ses phares partir
à la dérive et disparaître dans la poussière qui me séchait la
bouche.

Après tout, il avait peut-être raison. J'eus un passage à vide,
je n'étais plus sûr de rien – pas même d'être vraiment allé à
l'ancien camp la nuit précédente. Peut-être était-ce moi qui
tenais à le peupler de fantômes. Et j'avais peut-être besoin de
croire au Général, au léger cliquetis de son passé épinglé sur sa
poitrine lorsqu'il se déplaçait. Cultivant ses fleurs nocturnes.
Utilisant mes os comme engrais.

16

Tehogo revint le lendemain. Je n'étais pas là ; en fin d'après-midi, j'étais retourné au village en contrebas de la baraque de Maria pour obtenir des nouvelles. N'apprenant rien de plus, j'étais reparti, l'esprit mélancolique, et j'avais roulé ainsi jusqu'à l'escarpement. Je regagnai l'hôpital à la nuit tombée. Les lumières de l'aile principale étaient allumées, ce qui donnait au bâtiment un éclat radieux, et je distinguai des silhouettes en mouvement derrière les fenêtres.

Je me précipitai à l'intérieur. Le bureau était vide. J'entendais de l'activité dans la pièce à côté, la salle d'opération, mais lorsque je fus dans le couloir ils sortaient déjà tous – le docteur Ngema, les Santander et Laurence.

Aucun ne m'adressa la parole. L'air était chargé de trouble et de violence, sans maîtrise. Au bout d'un certain temps, l'agitation sembla se calmer. Les Santander bavardaient en espagnol, le docteur Ngema rédigeait des notes administratives dans le bureau. Pendant quelques instants, Laurence se retrouva, comme moi, égaré dans le vide terrifiant du couloir.

– Que se passe-t-il ? me dit-il.

– J'espérais que tu me le dirais.

– Je ne sais pas. Je ne comprends pas.

– Mais qu'est-ce qui s'est passé ?

– Il est là-bas. Il a reçu une balle dans la poitrine. Je ne crois pas qu'il s'en sortira. Le docteur Ngema a essayé de la retirer, elle est trop près du poumon. Je pense…

– Qui ? De qui tu parles ?

Il me dévisagea, incrédule, comme si j'étais l'élément inexplicable de la scène.

– Tehogo, dit-il enfin. Où étais-tu ?

Même alors, je n'ai pas saisi. Et puis, je compris.

Je longeai le couloir. Au centre de la salle d'opération, sous la lueur bleue sépulcrale de l'éclairage de nuit, Tehogo était étendu sur le dos, un drap remonté jusqu'à la poitrine. Il était sous assistance respiratoire, une perfusion dans le bras. Torse nu à l'exception des compresses et des bandages. Son visage, lorsque je me penchai sur lui, était déjà affaissé sur son ossature, le visage qu'il aurait eu s'il était mort.

Je retournai dans le couloir. Je dis à Laurence :

– Qui l'a amené ?

– L'autre type. Son copain. Je crois.

– Tu crois ?

– Je n'ai pas vu. Ça s'est passé si rapidement.

Il posa une main sur sa tête, il était sur le point de pleurer. Jamais je n'avais vu Laurence pleurer.

– J'étais de garde, dans le bureau, et j'ai entendu arriver une voiture. À toute vitesse. Et puis des coups de klaxon, encore et encore. Je me suis précipité dehors. Et le type, je ne sais pas qui, le chauffeur, tirait Tehogo de l'arrière.

– Quel genre de voiture ?

– Pardon ?

– C'était quel genre de voiture ?

– Je ne sais pas, Frank, je n'ai pas regardé, je suis désolé.

Une larme s'échappait maintenant et coulait alors que sa voix restait ferme.

– J'ai attrapé Tehogo et je me suis mis à le tirer, moi aussi, pour aider, tu comprends. Mais le type était déjà remonté dans la voiture et il a démarré sur les chapeaux de roues. Je ne sais pas, Frank, j'ai l'impression que c'était son ami, je n'en suis pas sûr. Pourquoi c'est arrivé ? Qu'est-ce qui s'est passé ?

– Je n'en sais rien, dis-je, alors que je le savais, aussi sûrement que si j'y avais assisté.

Je me rendis chez Mama en voiture. Il était encore tôt et le bar presque désert. Derrière le comptoir, Mama triait des monceaux de pièces de monnaie qu'elle rangeait dans des sacs en plastique. Elle sourit en me voyant.

– Je cherche le colonel Moller.

Le sourire disparut ; elle avait lu quelque chose sur mon visage.

– Il est là-haut. Dans sa chambre.

– Quel numéro ?

Elle me l'indiqua et je montai. C'était la dernière porte du couloir, à l'angle de la maison. Je frappai et il répondit presque immédiatement, comme s'il avait attendu. Pourtant, son visage de marbre ne put contenir un léger tremblement en me voyant ; l'espace d'une seconde, c'était fini.

Il portait son uniforme, aujourd'hui. Pantalon de camouflage, bottines marron. Il avait ôté sa chemise et la partie supérieur de son corps, lisse et pratiquement glabre, semblait dissociée du bas, en uniforme. Derrière lui, j'apercevais la chambre, identique à celle où avait séjourné Zanele, en bas du couloir. Mais sa présence en accentuait, si c'était possible, le dépouillement austère. Dans l'armoire, je vis des vêtements rigoureusement empilés, à la verticale. Sur la table, une arme était démontée, ses pièces soigneusement étalées en rangées étincelantes.

— Je peux entrer un instant, colonel ?

Il secoua la tête.

— Désolé, docteur, pas maintenant, je suis occupé. Il va falloir que tu restes sur le pas de la porte, pour me parler.

Très poli, très distant. Et je ne doutais pas qu'il avait eu les mêmes intonations avec ceux qu'il avait torturés et tués. Il n'y mettait rien de personnel.

— Colonel, dis-je. Nous avons un blessé, à l'hôpital. Je crois que vous savez qui c'est.

Il me fixait calmement, il attendait.

— Je veux savoir ce qui lui est arrivé.

— Je suis désolé, fit-il en secouant à nouveau la tête. J'aimerais pouvoir t'aider, docteur.

Il était toujours aussi correct et hermétique mais son attitude envers moi était différente, aujourd'hui. La nuit dernière, je n'étais qu'un idiot qu'il pouvait écarter d'un revers méprisant. Ici, il était sur ses gardes. Son indifférence contenait un élément de pouvoir, une prudence méfiante qui faisait partie du jeu. Il me prenait au sérieux, même s'il n'en laissait rien paraître.

— Laissez-moi vous parler franchement, dis-je. Vous n'êtes pas obligé de dire quoi que ce soit. Mais je sais. Je sais que vous avez abattu cet homme – vous ou vos hommes. Vous êtes allé à l'ancien camp militaire parce que je vous avais dit d'y aller. Vous avez cru qu'il n'y aurait rien, et pourtant, si. Il est arrivé quelque chose, quelqu'un a couru, ou tiré un coup de feu – et ça s'est terminé ainsi.

Il continuait à me regarder avec un intérêt poli.

– Colonel, dis-je, et nous percevions chacun la note angoissée. Vous ne comprenez pas que je me sens responsable ? Je ne suis pas venu vous faire des reproches, vous causer des ennuis. Je veux seulement comprendre. Je vous ai dit où aller. Je ne pensais pas qu'il se passerait quelque chose, mais maintenant c'est fait. À cause de moi. Je le sais. Pas de vous, de moi. Cela m'aiderait de savoir ce qui s'est produit. C'est tout ce que je demande. Je vous en prie, aidez-moi, colonel. S'il vous plaît.

– Désolé, docteur.

– D'accord. Alors dites-moi au moins... juste une chose. Est-ce que quelqu'un d'autre a été blessé ? Qu'est-il arrivé aux autres ? Ils sont partis ? Vous les avez arrêtés ?

– Je ne peux pas répondre à tes questions.

– Bon. N'en parlons plus... oublions les autres. Juste une personne : la femme. Celle dont je vous ai parlé la nuit dernière. Est-ce qu'elle était là ? Elle est en sécurité ?

– Je ne sais pas.

– Un mot, colonel, un seul. Oui ou non. Même pas un mot... simplement un signe de tête. Elle est vivante, elle est morte ? C'est la seule chose que je vous demande.

Il recula d'un pas, ferma la porte. Le dialogue s'achevait sur ce geste irrévocable. Je restai un moment le front appuyé contre le mur avant de rebrousser chemin.

L'hôpital avait retrouvé son calme et son silence mais l'émotion planait encore, pareille à un brouillard. Laurence et les Santander étaient restés dans le bureau. Ils parlaient de Tehogo. De l'avis général, il allait mourir.

Je retournai le voir. Il était toujours dans la salle d'opération, toujours accroché à la machinerie qui le maintenait en vie. Il semblait fait, pour moitié, de matière synthétique, et la moitié humaine était passive et inerte.

Je prononçai son nom. Sans recevoir de réponse. Je restai là, à le regarder, à regarder son visage. Je remarquai une tache de vin, une marque légèrement plus sombre sur une joue. Le croissant d'une minuscule cicatrice sur son front. Des détails que je n'avais jamais vus auparavant, avant ce moment. Et après tant d'années passées à vivre et à travailler à côté de lui, je crois pouvoir dire que, pour la première fois, ma vie était reliée à la sienne.

17

Le lendemain, bien que n'étant pas de garde, je me suis rendu à plusieurs reprises dans l'aile principale, pour le voir. Je ne le faisais pas en tant que médecin mais poussé par un besoin personnel impossible à exprimer en mots. C'était chaque fois pareil : debout à l'extrémité du lit, je le regardais, je ne cessais de le regarder. Encore maintenant, j'ignore ce que je cherchais.

Il est arrivé une ou deux fois que le docteur Ngema soit là. Aussi agitée et inquiète que moi, elle s'affairait autour du lit, vérifiant son pouls, ses pupilles, sa pression artérielle. Aucun autre malade n'avait eu droit à autant d'attention de sa part.

— Il ne faudrait pas le transférer ? demandai-je. Il serait mieux dans l'autre hôpital.

— Sans doute. Sans doute. On ne peut pas le déplacer pour le moment. Son état est trop sérieux.

— Est-ce que vous vous rendez compte, dis-je, qu'ils risquent de revenir le chercher ?

J'y pensais moi-même pour la première fois.

— Qui ? dit-elle.

— Ses… compagnons, dis-je. Les gens avec qui il était.

Elle me regarda, frappée de stupeur. Elle ne voyait ni de qui je parlais ni pourquoi ils auraient voulu l'emmener. Pourtant, elle ne m'en demanda pas plus ; l'instant d'après, elle s'affairait à nouveau. Cette idée ne me quitta pas de la journée. Pourquoi le laisseraient-ils ici s'il connaissait leurs secrets ?

Une pensée que le colonel Moller avait manifestement eue, puisque le lendemain Tehogo était enchaîné à son lit, veillé par un soldat posté dans un coin de la pièce.

Ce jour-là, j'étais de garde. Lorsque le docteur Ngema vint effectuer sa visite, elle resta interloquée devant les mesures de sécurité instaurées sans son avis. Elle fit cliqueter les menottes fermées sur le poignet de Tehogo et examina le soldat.

– Qui êtes-vous ? Que faites-vous ici ?

Le jeune homme, un Blanc à peine sorti de l'adolescence, avait un duvet de moustache et un sourire sardonique. Son désarroi l'amusait.

– Je monte la garde, dit-il.

– La garde ? Vous gardez qui ?

Il dut trouver que c'était trop évident pour répondre.

– Il est en réanimation, dit sévèrement le docteur Ngema. Seul le personnel médical est admis ici.

– Vous devez en parler au colonel Moller.

– Vous ne pouvez pas l'enchaîner ainsi. Nous ne sommes plus dans un État policier. Pourquoi avez-vous fait ça ?

– Il y a du danger.

– Du danger ? répéta-t-elle en considérant la pièce autour d'elle comme si elle s'attendait à ce qu'il prenne forme : le danger, une quantité mesurable, cachée sous le lit. Je me plaindrai. Vous ne pouvez pas faire ça. Je vais protester.

Qu'elle se soit plainte ou qu'elle ait protesté, rien ne changea ; les bracelets métalliques et le soldat demeurèrent. Bien qu'il – le garde – finît par s'installer dans le bureau avec moi. C'était plus agréable pour lui, peut-être, d'avoir de la compagnie, et puis le café et les fléchettes étaient là pour le distraire. En vérité, j'étais content qu'il soit avec moi. Pas pour sa présence : pour son arme, qui me réconfortait. Depuis ma conversation avec le docteur Ngema, j'avais peur.

Le soldat avait l'air de s'ennuyer. Il ne semblait pas croire au danger qu'il avait mentionné. Il ne m'accompagnait pas dans mes allées et venues entre la salle d'opération et le bureau. Il considérait peut-être que l'anxiété et l'attention étaient la norme, alors qu'en réalité jamais je n'avais été à ce point préoccupé par un problème médical.

Au début, Tehogo était totalement immobile, un cadavre exposé aux regards. Il ne changeait de position que lorsqu'on le déplaçait. Je devais le retourner régulièrement à cause des escarres. Quand, pour ce faire, je glissais mes mains sous lui, mon visage se rapprochait du sien et je sentais l'aigreur de son haleine sortie des profondeurs d'un estomac vide. Il était brûlant, flasque et moite entre mes mains.

Il fallait tout faire pour lui. L'air et la nourriture entraient en lui via des tubes en plastique. Je devais contrôler l'oxygénation, surveiller les intraveineuses. Lui injecter de la morphine toutes les deux heures. On lui avait installé une sonde urinaire et il avait fallu vider la poche à plusieurs reprises. Plus tard dans la journée, il avait souillé ses draps et j'avais dû le laver, changer la literie. Ces opérations nécessaires étaient les corvées dont s'acquittait habituellement Tehogo. C'était nouveau, pour moi. Jamais je n'avais touché Tehogo et je me retrouvais pris dans cette intimité essentielle. Si cela avait été une allégorie, elle m'aurait appris l'humilité ; mais ce n'était que de la vie réelle, étrange, incertaine et têtue, et les émotions qui naissaient en moi n'étaient pas entièrement humbles.

Au fil de la journée, son état s'améliora. À midi, son rythme cardiaque et sa pression artérielle étaient presque normaux. Plus tard, alors que je venais le retourner, je vis qu'il avait changé de position tout seul. Une modification légère, un déplacement de pieds et de mains, signe indubitable que la vie refaisait surface.

Le mouvement continua. Une petite contraction ici, un frisson là – jusqu'à ce que, le soir, il commence à gesticuler et à se contorsionner dans son sommeil.

Pour l'empêcher d'arracher ses tubes, je l'attachai au lit avec des bandes de tissu. Ces liens contraignants – à ses jambes et à son bras libre – singeaient ridiculement la véritable chaîne à son poignet. Il était à la fois le patient et le captif ; tout comme j'étais le médecin et la cause de son état.

Culpabilité, culpabilité ; j'arpentais le couloir, incapable de demeurer longtemps assis. Les autres médecins venaient également le voir, de temps en temps. Les Santander et le docteur Ngema – inquiets et craintifs. Leur anxiété découlait de leur incompréhension, alors que moi je ne comprenais que trop bien.

Laurence fut le seul à ne pas passer. Je l'attendis toute la journée, ne fût-ce que parce que, chez lui, le devoir était un réflexe vertueux. Il n'arriva pas avant le soir, pour prendre son tour de garde. Il était resté dans la chambre, dit-il, pour organiser le dispensaire.

J'avais oublié, jusqu'à cet instant, que la consultation allait avoir lieu. Il semblait évident, compte tenu des circonstances, qu'elle serait annulée.

– Non, non, fit Laurence avec ferveur. J'en ai parlé au docteur Ngema, aujourd'hui. Elle dit qu'il faut y aller.

– Et Tehogo ?

– C'est important, bien sûr… mais la vie continue, Frank. Je n'ai pas besoin de te le dire.

Et je vis – pour la première fois – Laurence se désintéresser d'un patient dans l'hôpital. Il était inquiet et ennuyé mais il souhaitait que Tehogo ne soit pas là : il entravait son projet, bien plus glorieux.

À quoi avions-nous abouti, en fin de compte ? Le monde familier s'était inversé. L'infirmier était devenu le patient. Le jeune médecin dévoué et bienveillant ne se souciait que de lui-même, tandis que moi, le désabusé, l'incrédule, j'aurais prié si j'avais pensé que cela pût servir.

Il y aurait peut-être une leçon à tirer de tout cela, pour peu que je la trouve.

En attendant, j'avais beau avoir terminé mon service, je rôdais nerveusement dans le bureau en dépit de la lassitude qui m'envahissait.

– Pourquoi tu ne vas pas dormir un peu ? finit par dire Laurence. Tu as l'air épuisé.

– Je vais bientôt y aller. J'attends.

– Qu'est-ce que tu attends ?

– Je n'en sais rien.

Il m'étudiait, me sondait.

– Je croyais que tu n'aimais pas Tehogo, dit-il.

– C'est vrai. Mais je ne veux pas qu'il meure.

– Rappelle-toi ce que tu m'as dit, un jour. Les symboles n'ont rien à voir avec la médecine.

– Qu'est-ce que tu veux dire ? Tehogo n'est pas un symbole, pour moi.

– Tu es sûr ?

Le lendemain matin, Tehogo était conscient. Son regard se posa sur moi, calme et limpide, impassible. J'y vis le reflet de moi-même, une image double, avant que ses yeux ne dérivent vers le sol.

Claudia Santander était normalement de garde, ce jour-là, mais je lui avais proposé de la remplacer. « Non, non, répétait-elle. Le dispensaire est demain. Je ne veux pas travailler demain.

– Tu ne devras pas. Je n'échange pas une garde avec toi. Je veux juste travailler aujourd'hui, sans échange, sans contrepartie. »

Elle n'avait pas compris et s'était finalement laissé faire. Ainsi, je veillai encore sur Tehogo le jour suivant. Le docteur Ngema vint lui retirer la perfusion et débrancher l'oxygène. Autant de signes qu'il se remettait rapidement. Cependant, la balle était toujours là et il allait falloir la retirer.

– Nous allons attendre un jour ou deux avant de l'opérer, dit le docteur Ngema. Il doit se stabiliser. Qu'en pensez-vous, Frank ?

– Je pense qu'il faudrait le transférer vers l'autre hôpital.

– Je suis sûre qu'on peut le soigner ici… Il va beaucoup mieux.

Elle voulait mon approbation, je voulais qu'il parte. Je voulais qu'il soit loin d'ici, hors de leur portée.

– Je pense que c'est indispensable, dis-je. Laissez-moi l'emmener.

– Bon… très bien.

Elle eut un battement de paupières, hésita.

– Il est trop faible pour le moment.

– Eh bien demain. Je m'en occuperai à la première heure.

– Il y a le dispensaire, demain.

Je la dévisageai.

– Vous n'allez tout de même pas le maintenir ? On peut le reporter, non ? Vu les circonstances.

– Oh, non. Non, impossible, Frank, fit-elle, apparemment troublée. C'est trop important pour nous, on attend le ministre, c'est… Non, pas à un stade tellement avancé.

– Eh bien je n'y vais pas, dis-je avec colère. Je l'emmène là-bas.

Ce n'était pas une demande ; elle perçut la véhémence dans ma voix. Et elle était trop déconcertée pour résister.

Tehogo avait tout écouté sans un mot. Il était trop faible et trop mal en point pour parler mais, lorsque le docteur Ngema s'adressait à lui, il hochait ou secouait la tête. Oui, ça allait bien. Oui, il avait mal à la tête. Non, il n'avait pas besoin du bassin.

– Quand il aura repris un peu de forces, essayez de le faire parler, dit le docteur Ngema. Une petite phrase en aparté, chuchotée dans le bureau. Tâchez de savoir ce qui lui est arrivé.

C'était dit d'un ton anxieux, visiblement elle ne voulait pas l'interroger elle-même. Elle était heureuse de me confier cette mission délicate. Mais Tehogo ne me parlerait pas. Malgré la faiblesse, malgré la morphine, le souvenir d'une rancœur persistait : quand je lui parlais, c'était toujours le même jeu du regard, avant de détourner les yeux.

Cela ne m'arrêtait pas. Il demeurait mon patient captif, enchaîné à son lit. Les bandes de tissu ne retenaient plus ses pieds ni sa main, mais les menottes étaient là, un cliquetis métallique dès qu'il bougeait. Il les voyait, et il voyait le soldat posté dans le coin.

Un nouvel homme montait la garde, aujourd'hui, du genre tendu et impénétrable, assis le fusil entre les genoux, vigilant. Celui-ci prenait son travail au sérieux ; il n'était pas tenté par le bureau, son café et ses fléchettes. Il m'observait tandis que j'entrais et sortais, pour entrer à nouveau et accomplir mes divers petits devoirs.

Tehogo mangeait, maintenant, uniquement des aliments liquides parce que les tuyaux avaient mis sa gorge à vif. Deux fois par jour, je lui portais de la soupe sur un plateau et je le nourrissais délicatement, à la cuillère. Sa bouche s'ouvrait, acceptait, tandis que ses yeux m'évitaient. Il subissait mes autres attentions avec la même passivité violente. Derrière son humilité, je sentais ses sentiments véritables, enfouis et secrets, s'exhaler comme une fièvre.

Je dus l'aider à uriner. Assis côte à côte, tels de vieux amis, je le soutenais, un bras autour de ses épaules. Il ferma les yeux pour dissimuler l'humiliation, ce qu'il refit plus tard, lorsque je le lavai. Je nettoyais les différentes parties de son corps l'une après l'autre, comme si nous étions tous les deux des machines – bien que nous n'ayons jamais été moins mécaniques.

Je ne lui parlais pas. Même pas des questions que le docteur Ngema voulait que je lui pose et dont, moi aussi, j'aurais aimé avoir les réponses. Une seule fois, quelques mots m'échappèrent ; penché sur lui, j'ai murmuré à son oreille.

– Je t'ai dit que tu n'étais pas mon ennemi, Tehogo. Est-ce que je traiterais mon ennemi ainsi ?

Le soldat leva vivement les yeux ; quelle information subversive venait de s'échanger à voix si basse ? Le visage de Tehogo resta hermétique. Il ne me donnerait rien.

Je pense à cette soirée comme la dernière, l'ultime nuit ; alors que, sur le moment, elle avait l'air ordinaire. Rien n'était marqué par le poids du destin, ce qui fait qu'il est maintenant difficile de se remémorer l'un ou l'autre détail précis. Une nuit pareille à tant d'autres – à toutes les autres nuits passées dans l'hôpital, à rogner dans ma vie. J'étais très fatigué, de cela je me souviens, le travail semblait avoir absorbé mon énergie hors de toute mesure. Et quand Laurence vint prendre la relève, je n'avais plus envie de m'attarder. Il n'y avait rien à craindre, après tout. J'emmenais Tehogo le lendemain.

– Tu es prêt pour demain, Frank, dit Laurence avec entrain.

– Prêt ? Oh, Laurence, je pourrai pas être là, au dispensaire. J'emmène Tehogo.

– Pourquoi demain ? Il ne peut pas attendre un jour de plus ?

– Non. Je suis désolé. Ce n'est pas possible.

– Oui, évidemment. Évidemment. Tant pis. Je n'ai jamais réellement cru que tu viendrais, de toute façon.

Est-ce que tout ceci a vraiment été dit, avons-nous même eu cette conversation ? Je ne sais pas ; j'ai peut-être enrichi le souvenir, plus tard. Il ne semble pas juste – après tant de paroles importantes – que les derniers mots aient été noyés dans la banalité.

Et donc je me souviens, ou j'imagine, que la dernière fois que j'ai vu Laurence, son visage portait une trace de mauvaise humeur. Il prétendait que cela n'avait pas d'importance alors qu'il était à nouveau profondément blessé. Il s'attendait plus ou moins à ce que je le laisse tomber une fois encore, et c'était le cas. Je l'appelai pour lui dire au revoir mais il était tout entier absorbé par des recherches dans la réserve de matériel. L'écho tremblant de ma voix, criant son nom, se propagea dans le couloir désert.

Le lendemain matin, il n'était plus là. Ni le soldat, ni Tehogo. Et pour résoudre la question des menottes, ils avaient emporté le lit.

18

J'avais mis le réveil à sonner de bonne heure. Le jour se levait à peine lorsque je traversai le terre-plein entre les bâtiments. Dans la lumière blafarde, je voyais des gens aller et venir dans l'aile principale.

Le docteur Ngema m'attendait à la porte. Son visage n'exprimait rien ; elle prit un certain temps pour formuler sa phrase.

– Ils ne sont plus là, dit-elle. Partis.

– Qui ? Qu'est-ce que vous voulez dire ?

Et déjà, je savais, même si je dus remonter le couloir jusqu'à la salle d'opération déserte pour comprendre. Là encore, je fixai le rectangle nu sur le sol, légèrement plus clair que les alentours, comme s'il contenait un message que je serais un jour capable de déchiffrer.

Quelques minutes plus tard, j'étais à mon tour un de ces êtres qui allaient et venaient, sans cesse et sans but. Un mouvement dépourvu de frénésie, d'orientation particulière. Tout le monde était en état de choc. Il semblait ahurissant que trois hommes et un lit d'hôpital aient pu s'évanouir en pleine nuit. Dans un tel silence, sans laisser la moindre trace. Comme si une main géante était descendue et les avait balayés d'un geste.

Comment était-ce arrivé ? Combien étaient-ils, quelles armes avaient-ils ? Est-ce qu'ils avaient franchi la grille principale en voiture ou escaladé furtivement le mur, tels des assassins ? Je n'en savais rien ; jamais je n'aurais les réponses à ces questions parce que cela se passait dans une autre contrée, pendant mon sommeil.

Et Laurence – pourquoi l'avaient-ils emmené, qu'avait-il fait qui rende indispensable sa disparition ? Je le devinais presque, sans l'avoir vu : il avait dû leur barrer le chemin, s'interposer entre Tehogo et l'ennemi. *Je suis désolé, vous ne pouvez pas l'emmener, c'est mon patient. J'ai le devoir de le protéger.* Devoir, honneur, obligation – Laurence, qui vivait pour ce genre de mots, avait fini par mourir pour eux.

Un des autres médecins aurait très bien pu effectuer la garde, cette nuit ; ç'aurait pu être moi. Et les choses se seraient passées différemment. Je ne vivais pas pour des mots comme « le devoir ». Peu de gens le font. Le soldat, par exemple, il s'avéra qu'il n'avait pas été pris. Il s'était enfui en les voyant arriver. Après des heures, il avait émergé du bush, traînant derrière lui sa honte et son fusil. On avait aussi retrouvé le lit, démonté et cassé en morceaux dans l'herbe ; seul un des coins ne réapparut jamais, celui auquel était enchaîné Tehogo.

Tout ceci vint ensuite, au stade logique de l'explication, de la raison. Ce matin-là, il n'y avait ni logique, ni raison. Il n'y avait que le long couloir désert et cet espace vide dans la salle d'opération, le trou d'une dent arrachée.

Le docteur Ngema était un de ces corps errants. Elle s'adressa à moi, plus tard, manifestement au désespoir.

– C'est inimaginable. Je n'arrive pas à y croire. Frank, qu'allons-nous faire ?

– Je ne sais pas, dis-je mollement. Il faudrait le signaler.

– C'est fait. J'ai parlé à cet homme, ce militaire. Il a dit qu'il ferait tout ce qui était en son pouvoir…

– Alors, vous ne pouvez rien faire de plus.

– Il dit que je devrais tout consigner dans un rapport. Chaque fait. Je ferai ça plus tard. Après le dispensaire.

– Vous y allez toujours ?

– Qu'est-ce que vous voulez qu'on fasse ? cria-t-elle. Tout est organisé !

Et peu après, ils disparaissaient – les trois qui restaient, les Santander et le docteur Ngema. Partis faire leur devoir à la cérémonie d'inauguration du raccordement à l'électricité. Je crois qu'ils s'imaginaient que j'allais les suivre avec ma voiture, mais je n'ai pas suivi. J'ai arpenté les couloirs, au rez-de-chaussée, à l'étage, j'ai fait les cent pas dehors, dans l'herbe.

J'avais l'impression qu'il était là, quelque part à l'exterieur, proche et vivant. Laurence – avec ses idéaux et son sens du devoir. Il n'y était peut-être pas ; il était peut-être déjà étendu dans un fossé ou dans un trou peu profond, la gorge tranchée ou bien une balle dans la tête – selon ce qui lui était arrivé. Depuis, j'ai tenté de les imaginer – ses derniers moments, l'apogée de son histoire – mais ce jour-là aucune image ne venait. Être assassiné, abandonné comme un détritus : ces choses-là arrivaient aux autres, à des inconnus, pas à Laurence. Non, il était quelque part là-bas, pas trop loin, en train d'entretenir son indignation et son espoir. Attendant de l'aide – puisque les gens étaient ainsi : ils s'aidaient les uns les autres.

Et il finit par arriver : mon moment, sinon de vérité, du moins d'action. Trop tard, tous les contacts étaient coupés. Ma vie a finalement cédé à un instant de réel courage. Sans que je le sache alors ; je sentais seulement s'accumuler une force qui semblait déjà extérieure à moi et même lorsque j'eus pris ma voiture et franchi la grille, je n'avais pas une idée très claire de l'endroit où je me rendais.

Cette fois, je quittai la route pour prendre le chemin de terre, emporté et ballotté au gré des ornières. Entre-temps, je savais, évidemment : au sens où l'on peut déduire les intentions d'un homme en observant ses gestes. L'événement prenait de l'ampleur, en moi, et j'imaginais déjà mon arrivée : ma voiture franchissait à toute vitesse l'entrée principale, soulevant dans son sillage un nuage de poussière, de bravoure et de drame qui m'enveloppait. Mais au bas de la petite déclivité, je heurtai une pierre et le moteur cala, refusant de repartir. Mon élan était en train de faiblir, et avant qu'il ne se soit totalement dissipé, je descendis et m'élançai en titubant à l'assaut de la pente, en courant presque. Je me voyais avancer à travers l'ensemble des visages stupéfaits vers celui qui seul comptait et tomber à genoux devant lui.

Je suis ici, dirais-je, *pour m'offrir en échange. Pas de Tehogo — il est des vôtres, prenez-le. De l'autre. Il n'est rien, pour vous, je le sais, mais pour moi, il est devenu tout. Du moins, tout ce que je ne suis pas. Le caractère est un destin, c'est mon destin de n'avoir rien fait de ma vie, hormis observer et juger, et trouver tout insuffisant, alors permettez-moi, en cet ultime moment, de me transformer. Je vous en supplie, laissez-moi prendre sa place et accordez-moi une mort qui donne un sens à ma vie, faites de moi ce que vous voudrez, mais laissez-le partir.*

Je l'aurais fait. J'aurais dit tout cela. À cet instant, je n'avais pas peur de mourir.

Évidemment, ils n'étaient pas là. Je ne sais pourquoi j'avais cru qu'ils y seraient. Ils avaient sans doute quitté le camp pour de bon quand Tehogo avait été blessé, ils n'avaient aucune raison de revenir. C'était seulement dans mon esprit qu'ils étaient fixés à un endroit, sorte de cible que ma vie cherchait à atteindre comme une flèche. Et que je ratais une fois encore. Je ne parvenais même pas à produire une authentique tragédie à partir du matériau brut et prometteur de mon existence.

En fin de compte, il n'y avait rien à affronter, hormis l'être ridicule que j'étais. Pesant, depuis longtemps sur le retour, à bout de souffle. Saluant, debout au centre de son théâtre désert, un public de toiles de tentes moisies et de barbelés rouillés.

Et lui. Il apparut après quelques instants, l'air calme et vaguement ennuyé, le pas nonchalant, venu de l'autre extrémité du camp où je n'apercevais que maintenant le haut de sa jeep qui dépassait.

Il portait à nouveau l'uniforme. Pourtant son allure était familière, aujourd'hui, plus civile que militaire. Les mains dans les poches, il sifflotait entre ses dents.

– Bonjour, docteur, dit-il.

Il ne paraissait pas surpris de me trouver ici. Juste un peu amusé de me voir en nage.

– Tu as besoin d'un peu d'entraînement, dit-il. Ça te remettrait en forme.

– Je suis venu… dis-je. Je suis venu… pour voir…

– Moi aussi. Ton patron, cette doctoresse, m'a dit ce qui s'était passé. J'ai pensé que c'était le moment de vérifier ton histoire. De voir s'il y avait quoi que ce soit par ici. Mais…

D'un geste, il désigna la décrépitude qui nous entourait, le sol envahi d'herbes folles.

— Ce n'est pas vrai, dis-je. Vous êtes déjà venu. Pourquoi est-ce que vous persistez à le nier ?

Il eut un mince sourire ; il était de bonne humeur.

— Il n'y a personne, ici. À part nous. Et c'est un endroit de merde.

— Qu'est-ce qui va se passer, maintenant ?

— Rien. Ils sont partis. Je ne crois pas qu'on les reverra.

— Je voulais dire… qu'est-ce qui va lui arriver à lui ? À mon ami.

— Je parlais de ton ami, dit-il.

Il n'y avait rien à ajouter. Tout s'était joué ici, dans le plus invraisemblable des endroits, un jour comme les autres.

— Tu es venu comment ? dit-il. Je peux te déposer ?

— Ma voiture est là, en bas. En rade.

— Je vais t'aider à sortir. Le temps d'aller chercher ma jeep.

Il amorça un demi-tour, en sifflotant à nouveau, mais je dis :

— Commandant.

Je ne sais d'où m'est venu ce vain besoin de dire la vérité.

— Colonel, tu veux dire.

— On s'est connus, autrefois. Vous vous rappelez ?

Le changement sur son visage fut extraordinaire. En un instant, il était sur le qui-vive. Quelque chose en lui s'était contracté, réduit à ce noyau dur, infime et fermé, inaccessible. Il semblait m'observer de très loin.

— C'était où ?

— Là-haut, à la frontière.

Je lui dis le nom du camp, l'année. Je voyais son esprit se concentrer sur cette époque, puis sur mon visage, cherchant à les faire coïncider.

— Je travaillais comme toubib, dis-je. Parfois, vous demandiez de l'aide au capitaine. Et une nuit qu'il n'était pas là, vous m'avez fait appeler.

— Et tu m'as aidé ?

— Oui.

Il me fixa pendant un plus long moment puis je perdis tout intérêt à ses yeux. Je l'ai vu. Il n'était pas en danger ; je n'étais rien, après tout, une épave.

— Désolé, dit-il. Je ne me souviens pas.

— Nous nous sommes parlé.

— Possible. J'ai parlé à beaucoup de gens, là-bas. Je suis désolé.

Son ton était sec et détaché. Ça ne l'intéressait plus. J'avais fait ma petite confession mais il ne pouvait me donner l'absolution. Mû par une impulsion inexplicable, je m'avançai et lui tendis la main. Il la serra. Le geste n'était rien, une formalité vide ; la véritable transaction avait eu lieu longtemps avant.

19

Laurence ne reviendra jamais. Je le sais, maintenant. Cependant, durant les premiers jours, et bien que j'aie été à nouveau seul dans ma chambre, je n'avais pas cette impression. Les vêtements de Laurence étaient toujours éparpillés dans la pièce, pendus au dos de la chaise et sur la barre du rideau de douche ; une cigarette à moitié fumée traînait dans les cendres sur le rebord de la fenêtre ; autant de signes disant qu'il était juste parti un moment, quelque part, ou pour une garde, et qu'il serait bientôt de retour.

Un jour, après une ou deux semaines, j'ai rangé ses affaires, sur un coup de tête. J'ai rassemblé les éléments du petit autel qu'il avait installé sur l'appui de fenêtre, les photographies et les pierres. J'ai plié ses vêtements et mis le tout dans sa valise – celle avec laquelle il était arrivé –, que j'ai glissée sous le lit. J'ai nettoyé et effacé les traces, les marques, la mousse à raser sur le miroir, les mégots. J'ai retiré sa brosse à dents du gobelet, dans la salle de bains, et, après réflexion, je l'ai jetée.

Les choses allèrent un peu mieux, ensuite. J'étais presque à nouveau seul. Et le jour où, quelques semaines plus tard, l'idée m'est soudain venue de redonner aux meubles la place qu'ils avaient avant sa venue, ce fut pratiquement comme s'il n'avait jamais été là.

Pourtant, il avait été là. Je le savais. L'autre lit, le vide, m'accusait.

Parmi les quelques papiers qu'il possédait, je tombai sur une lettre de Zanele au dos de laquelle figurait l'adresse de l'expéditeur. Je n'étais pas sûr qu'il fallût écrire, je le fis cependant. Personne d'autre ne l'informerait. Une tâche difficile. Je pensais que ce serait simple – l'énoncé brut des faits – et pourtant les faits me résistaient. J'avais écrit qu'il était mort et je regardais le mot fixement. *Mort.* Son sens ne semblait pas s'appliquer au cas présent. Il n'y avait ni corps, ni arme, ni succession précise d'événements. Après réflexion, je me contentais d'écrire qu'il avait disparu dans des circonstances extrêmement étranges que je lui expliquerais si elle me contactait.

Elle ne se manifesta pas. La lettre ne lui était peut-être jamais parvenue – il se pouvait aussi qu'elle fût déjà repartie en Amérique – à moins qu'elle n'ait pas voulu en savoir davantage. Je ne voyais pas ce que je pouvais faire d'autre et, en vérité, j'en étais soulagé.

Je cherchai parmi ses lettres une adresse personnelle, sans rien trouver. Les enveloppes envoyées par sa sœur – qui était en réalité sa mère – ne comportaient aucune adresse d'expéditeur. Je demandai au docteur Ngema s'il y avait quelque chose dans les dossiers et elle me répondit qu'elle avait déjà cherché. À nouveau, j'éprouvais le soulagement de ne pas être impliqué.

Un jour, sa mère arriva. C'était un mois ou deux après sa disparition. Une grande femme émaciée, en tailleur-pantalon noir, fumant continuellement avec un long fume-cigarette. Je ne parvenais absolument pas à l'associer à Laurence. Je retrouvais quelque chose du visage large mais son comportement, le relâchement de ses gestes étaient singuliers. Elle passa plusieurs heures à arpenter les alentours de l'hôpital, scrutant les recoins envahis d'herbes, regardant par-dessus le mur. Elle donnait l'impression de chercher avec calme et détermination, et toujours au mauvais endroit, quelque chose qu'elle aurait perdu.

Finalement, elle vint s'asseoir avec moi dans la chambre. Le docteur Ngema, qui ne voulait surtout pas être confrontée à des émotions pénibles, m'avait demandé de la recevoir. « C'est la sœur de Laurence, avait-elle dit précipitamment, elle voudrait bavarder un peu avec vous. » Cela ne me gênait pas ; je ressentais même une certaine curiosité douloureuse. Mais lorsque nous nous retrouvâmes face à face, elle sur son lit, moi sur le mien, comme nous le faisions lui et moi pour parler, il n'y eut soudain plus rien à dire. Au lieu d'une situation embarrassante, il semblait que ce fût un vide qui nous réunissait.

Je sortis sa valise et le petit tas de photos que je lui remis. Elle les examina distraitement.

– J'ai aussi les clés de sa voiture, dis-je. Je suppose que vous allez l'emmener.

– Oh, non, non. Pas maintenant. Je suis venue avec ma voiture.

– Elle est garée là-bas. Je fais tourner le moteur, de temps en temps.

– C'est très gentil à vous. Je reviendrai la chercher bientôt.

Elle regarda autour d'elle, la pâleur de ses orbites accentuant le noir de ses yeux.

– Alors c'est ici qu'il… qu'il…

– Oui ?

– C'était sa chambre.

– Il était ici avec moi. Oui.

Elle me regarda droit dans les yeux. Une femme fragile, elle donnait l'impression d'avoir été recollée, et seule sa voix ravagée par la cigarette révélait en partie la dureté de son existence. Ça, et quelque chose dans ses yeux.

– Vous étiez son ami, dit-elle.

– Pardon ?

– Il me l'a dit. Il vous mentionnait souvent, dans ses lettres.

– Ah oui ? Je suis touché. Je ne suis pas sûr d'avoir été un si bon ami.

– Oh si, vous l'étiez. Ne vous rabaissez pas. Je m'en rendais compte à la façon dont il parlait de vous... Il disait que vous preniez soin de lui.

– C'est vrai ? dis-je. Oui, je suppose que j'étais son ami.

– Merci d'avoir été tellement bon avec mon... mon petit frère.

Tout l'acte, déjà absurde, l'était doublement maintenant. Je ne pus me retenir.

– Je sais que vous êtes sa mère, dis-je. Il n'y a aucune raison de le cacher.

Elle ne broncha pas – se contentant de hocher tranquillement la tête et de tirer sur sa cigarette.

– Il vous l'a dit, je suppose.

– Eh bien... oui.

– Ça prouve à quel point il avait confiance en vous. Il ne vous l'aurait jamais dit, sinon.

Je ne savais pas quoi repondre. Je souhaitais qu'elle s'en aille, mais elle semblait avoir pris racine dans la chambre. Un silence s'établit tandis qu'elle tirait encore et encore sur sa cigarette, puis elle dit brusquement :

— Je ne comprends pas comment c'est arrivé.

J'éprouvai une sorte de décharge, les masques tombaient enfin.

— Il y a eu une succession d'événements très compliquée.

— Vous, vous comprenez.

— Non, je… Non, pas vraiment.

— Mais il a disparu.

— Oui.

— Il n'est pas mort. Il a disparu. Ce n'est pas la même chose.

— Je ne suis pas sûr de vous suivre.

Elle restait calme, imperturbable ; je l'observais tandis qu'elle jetait son mégot par la fenêtre pour glisser une nouvelle cigarette dans son fume-cigarette.

— Ce que je veux dire, dit-elle, c'est qu'il va peut-être revenir.

Sa voix était égale, je crus qu'elle formulait un avis. Mais elle gardait les yeux rivés sur moi et je compris qu'il s'agissait d'une question.

Je réfléchis un moment avant de dire :

— Non. Je ne pense pas.

Et elle se mit à pleurer. C'était surprenant : ce long corps indifférent traversé par une telle rafale d'émotions. Elle enfouit son visage dans ses mains et sanglota. J'allai m'asseoir près d'elle, lui posai le bras sur l'épaule. Quelque chose se déchirait dans mon cœur, j'étais désolé que nous soyons, finalement, parvenus à ce moment de sentiment véridique.

Laurence était parti. Il avait disparu. En un certain sens, elle avait raison : ce n'est pas la même chose que d'être mort.

D'autres s'en sont allés, plus tard. Disparus, mais pas à la manière de Laurence : ils se sont perdus dans les labyrinthes de leur propre vie. Au bout de quelques mois, les soldats ont été affectés ailleurs, et avec eux le colonel Moller. Un soir, ils étaient autour de la table de billard, en train de boire et de parader, et le lendemain, le calme était revenu.

Puis Claudia Santander rentra à Cuba. Ce qui était arrivé à Laurence fut en quelque sorte fatal à son mariage. Les disputes avaient cessé, de l'autre côté du mur, remplacées par un silence lourd et terne. Il était évident qu'ils ne se parlaient plus et, à une des réunions du lundi, nous apprîmes qu'elle partait la semaine suivante. Ainsi, la séparation avait finalement lieu. Après son départ, il ne resta plus que Jorge et moi, dans les couloirs, et les heures de garde devinrent très longues.

Le docteur Ngema partit pratiquement en même temps, elle retournait dans la capitale occuper le poste qu'elle convoitait au ministère. Un départ censé nous être bénéfique à tous les deux. Ce fut le cas, bien sûr. Pourtant, je ne parviens pas à oublier une ultime conversation avec elle, un entretien qui sembla surgi d'on ne sait où.

Cela se passait dans son bureau, un des derniers après-midi avant son départ. Elle m'expliquait en quoi consistait le travail, les rapports, la comptabilité, les dossiers. À un certain moment, elle me montra comment demander des crédits pour engager du personnel supplémentaire en remplacement de celui que nous avions perdu. L'hôpital traversait manifestement une crise, il fallait y remédier de toute urgence. Ce sujet raviva des émotions plus personnelles et, en plein milieu d'une longue et aride explication, elle se tut brutalement. Puis elle soupira et dit :

— Pauvre Tehogo.

— Comment ?

— C'est terrible, ce qui lui est arrivé. Une chose terrible.

J'aurais pu en rester là ; ne pas relever. Mais un changement s'opéra en moi.

Alors qu'elle se replongeait dans ses papiers, je dis :

— Et Laurence ?

Elle battit des paupières, l'air surpris.

— Oui. Laurence aussi.

— Tehogo est toujours en vie, dis-je. Je ne pense pas que Laurence soit encore vivant.

Elle reposa lentement ses papiers et me regarda. Entre nous, l'air s'était épaissi.

— Je ne vois pas ce que vous voulez dire, fit-elle.

— Je veux dire que Tehogo est un des leurs. Ils sont venus le chercher pour l'empêcher de parler. Ils ne lui feront aucun mal.

— Ils, dit-elle. Qui ça, « ils » ?

— Son clan, sa famille.

— Tehogo n'avait aucune famille. Il était seul. Si vous voulez mon avis, ce sont les soldats qui l'ont emmené. Il avait vu quelque chose qu'il n'aurait pas dû voir.

Je laissai échapper un gloussement incrédule.

— Ce n'était pas une victime, dis-je. Qu'est-ce qui vous fait croire qu'il l'était ?

Elle souriait, maintenant, sans manifester cependant le moindre amusement.

— Vous n'avez jamais aimé Tehogo, dit-elle lentement. Vous aviez depuis longtemps une dent contre lui.

— Ce n'est pas vrai.

— Je suis désolée, Frank, mais je crois bien. Vous vouliez qu'il parte. En être débarrassé. Vous ne le supportiez pas. Eh bien voilà, il est parti pour de bon.

— Sûrement pas. Il est ailleurs, quelque part.

— Vous êtes très sûr de beaucoup de choses.

— Je sais qui était Tehogo. C'était un voleur, j'ai vu ce qu'il a fait. J'ai été déçu que vous le protégiez.

Tout était dit d'un ton très froid et poli, comme si nous discutions de quelque point abstrait. Dernièrement, le docteur Ngema et moi avions souvent eu des échanges acerbes. Cette fois, ce n'était pas pareil.

— Ce jeune homme, dit-elle, ce jeune homme a eu une vie très dure. Très difficile. Bien plus difficile que la vôtre. Aucune des chances, aucun des avantages que vous avez eus. Ça ne compte pas, pour vous ?

— Pas dans ce cas-ci. Non.

— Non. Je le vois, dit-elle en me regardant, et aussi au-delà, plus loin que moi. Je me rends compte que vous n'avez pas la moindre idée de ce que signifie être un Noir dans ce pays. Seule votre vie est réelle, pour vous.

— C'est vrai pour tout le monde. On ne peut vivre qu'une seule vie.

— Les Noirs vivent plusieurs vies.

— Quelle absurdité.

— Oui. Pour vous, c'est une absurdité. Pour moi, c'est réel. Inutile de continuer à en parler.

Elle se replongea dans ses papiers et la conversation fut escamotée, glissée quelque part dans une poche, comme un petit canif. Qui nous avait cependant coupés l'un et l'autre. Nous n'en avons plus jamais parlé, prenant soin, lors de nos dernières rencontres, d'être aimables l'un envers l'autre.

Maria aussi avait disparu, mais elle revint. J'avais abandonné depuis longtemps l'idée de la revoir. Jusqu'au jour où un jeune Noir, au visage vaguement familier, arriva dans le bureau. Il pouvait me conduire à ce que je voulais, disait-il.

Il me fallut un certain temps pour comprendre de quoi il parlait. Puis je me souvins de l'endroit où je l'avais vu : au village derrière la baraque de Maria, le jour où j'étais allé là-bas, à sa recherche. C'était lui qui avait traduit mon message dans lequel j'offrais de l'argent en échange de l'aide qu'ils pourraient m'apporter.

Je ne pouvais pas l'accompagner, à ce moment-là. J'étais de garde. Et il faudrait attendre quelques jours avant que j'aie la possibilité d'y aller. Enfin, je passai le prendre et nous roulâmes ensemble dans ma voiture, il m'indiquait le chemin, assis à côté de moi, timide et confiant, se souriant à lui-même. Un long trajet sur des petites routes – le réseau des pistes en terre qui partaient de la route principale. Ici, le paysage sauvage et confus cédait parfois la place à un de ces villages sans nom qui n'étaient que des points sur la carte de Laurence.

Elle était quelque part dans un de ces points, près de la ligne d'horizon des collines bleues. La voiture gravit péniblement le dernier tronçon, un chemin effroyable qui semblait avoir été tranché à vif dans le bush, la veille. En haut de la côte, un assemblage clairsemé de huttes et de champs. Rien ne le distinguait de ceux que nous avions déjà traversés, mais le jeune homme radieux dit :

– Ici.

– Ici ?

Il me montra où aller. Une des dernières huttes, à la lisière du village, adossée à un mur d'arbres. Devant, la voiture blanche.

Je l'avais toujours vue de loin. Je me rendis compte, en passant devant, que cette voiture n'avait rien à voir avec celle du Général. C'était une vieille Datsun, le toit et le capot transpercés par la rouille. Une des portières pendait dans le vide et le pare-brise était fêlé. La voiture d'un pauvre.

Ainsi le puzzle, cette image hors de ma portée, n'était finalement pas complet. Ou alors les pièces ne s'assemblaient pas ainsi que je l'avais cru.

Il en allait peut-être de même pour Maria. Je supposais qu'elle savait que je venais – que ce jeune homme, mon guide, lui avait parlé, avait dit que je la cherchais. En la voyant, j'ai tout de suite compris que je tombais du ciel.

Cela se passait derrière la petite hutte, dans un espace nu, près des arbres. Lorsque j'avais frappé à la porte, une voix d'homme avait répondu, à l'arrière, et nous avions fait le tour. Elle était assise et elle bondit sur ses pieds, la main devant la bouche. Me regardant fixement.

Il y était, lui aussi. Je le voyais pour la première fois. L'homme. Environ mon âge, trapu, le visage rond, une casquette à carreaux inclinée sur la tête. Il n'avait pas l'air du type laissant facilement paraître ses sentiments mais je percevais sa stupeur, pareille à une vibration à travers le sol.

Donc, nous étions là, debout, en train de nous regarder. Tous les trois, paralysés par le désarroi tandis que l'autre continuait à manifester un ravissement incongru.

Je dis :

— Maria.

Ce n'était même pas son nom, son nom véritable. Elle se détourna brusquement de moi et se mit à parler à son mari. Vite, d'une voix aiguë. Je ne comprenais rien. Puis elle s'interrompit, se retourna et courut vers la maison sans un regard derrière elle.

Je ne sais pas ce que j'espérais : qu'on se réjouisse d'être assis ensemble, à parler du bon vieux temps. Que l'homme soit justement absent, comme il le fut le temps que dura notre liaison. Ou qu'on se trouve miraculeusement ramenés sur le carré de sable de la cabane, dans l'obscurité.

Mais ce ne serait pas ainsi. L'histoire était sans solution, peut-être même sans sujet. Je n'étais ici que pour apprendre à nouveau à quel point j'étais ignorant, à jamais incapable de comprendre.

L'homme était en colère. Il vint vers moi et me parla d'une voix sourde, posée, insistante. Je ne pensais pas qu'il ferait usage de ses poings, serrés le long du corps. Pas tout de suite. Il était encore trop surpris, trop peu sûr de lui.

— Je ne comprends pas ce qu'il dit, dis-je.

— Il demande, me traduisit le jeune homme, ce que vous venez faire ici.

— Je voulais parler à Maria.

— Il dit, qu'est-ce que vous lui voulez, à sa femme ?

– Dis-lui, rien. Rien de mal. Je suis un ami, d'autrefois, de la baraque. Je voulais savoir si elle allait bien.

– Il dit qu'elle va bien. Il dit que vous feriez mieux de partir, maintenant.

– Je ne suis pas venu pour faire des problèmes. Dis-lui ça.

Mais le problème venait de mon arrivée. Né autour de moi, comme une fine poussière soulevée par le vent. Il était préférable de partir sans savoir ce qui se passerait après mon départ, ce que nous fîmes, quelques instants plus tard. Le long chemin du retour, après une visite de deux ou trois minutes.

– Mais elle est vivante, me dis-je à voix haute, environ une demi-heure plus tard, alors que nous foncions sur une quelconque portion de route. Au moins, je le sais.

– Oui, acquiesça joyeusement mon compagnon. Elle est vivante.

Et c'était quelque chose. Je ne saurais rien du reste. Elle avait été au cœur de mon existence, sorte de symbole énigmatique, alors que je ne représentais pour elle qu'un détail en arrière-plan, porteur de mystère et de trouble. Jamais je ne la reverrais, mais elle était vivante.

En rentrant, je déposai le jeune homme qui s'attarda près de la voiture, dans l'attente. Je mis un certain temps à comprendre, tant j'étais préoccupé. Je sortis mon portefeuille.

J'étais parti avec l'intention de donner de l'argent à Maria et le paquet de billets était prêt, à portée de main. Après un moment d'hésitation, je saisis la petite liasse et lui donnai tout. Une somme importante, plus que je n'avais jamais donné auparavant. Je ne sais pas ce que j'avais en tête : la payer pour qu'elle revienne ou donner du panache à ma disparition définitive.

Il resta une seconde interloqué, puis la rangea précipitamment. Son sourire était éclatant.

Peu avant que son cancer ne l'emporte, mon père me dit son intention de me rendre visite. Sa façon de marquer son approbation, je pense. En apprenant que je dirigeais enfin l'hôpital, il avait dit : « Oh, Dieu merci. » Il imaginait un autre scénario. Je ne lui fournis aucun éclaircissement et je fus soulagé qu'il soit, en fin de compte, trop faible pour entreprendre le voyage. Il est parti en pensant que j'étais finalement tiré d'affaire. Ce que je suis, je suppose, sur le papier.

Les choses sont différentes, maintenant, sur bien des points. Pour commencer, je travaille dans le bureau du docteur Ngema. Au lieu du jeu de fléchettes et des heures d'ennui, j'ai devant moi une table et des papiers. Je ne me sens plus vraiment médecin ; je suis devenu un administrateur.

L'hôpital est en péril, mon travail consiste à le sauver. Les échanges de lettres et les coups de fil se multiplient. Le Département de la Santé veut que nous fermions, et je passe beaucoup de temps à expliquer en quoi c'est une mauvaise idée. Nous accomplissons un travail vital auprès des communautés rurales pauvres, dis-je. De manière ironique, j'ai dû citer en exemple les deux consultations du dispensaire de Laurence pour étayer mes arguments.

Nous n'organisons plus de dispensaire itinérant. Nous ne faisons plus grand-chose, en réalité. Il ne reste que deux médecins et autant de cuisiniers – un pour chacun. Et j'ignore combien de temps Jorge va rester.

Ainsi, il a fallu nous restreindre sur tous les fronts. Nous sommes devenus, de fait, une clinique de jour, ouverte quelques heures le matin. Pour l'essentiel, nous distribuons des médicaments et des conseils. Les cas sérieux, et même ceux qui le sont un peu moins mais nécessitent une hospitalisation, sont invariablement expédiés ailleurs.

La situation est calamiteuse et les perspectives mauvaises. Malgré tout – et sans pouvoir l'expliquer logiquement – je suis satisfait. Ce n'est peut-être qu'une fausse paix due à la résignation. Je sens, d'une certaine manière, que je me suis trouvé.

Peut-être est-ce simplement parce que, après sept ans d'attente, je me suis installé une vingtaine de mètres plus loin, dans le bureau du docteur Ngema. Un petit événement qui signifie beaucoup pour moi. Une pièce nouvelle, nue, propre, vide : un endroit idéal pour redémarrer. J'y ai étalé mes affaires, j'ai acheté quelques tissus et affiches à mettre au mur. Autant de choses destinées à laisser mon empreinte sur du vide. Maintenant, ma vie s'est à nouveau enracinée. Je ne resterai pas ici indéfiniment, je le sais ; d'autres lieux, d'autres gens suivront.

Un sens du futur entièrement neuf, à cause d'un changement infime. Ce qui m'amène à me demander si tout ceci serait arrivé si je n'avais pas dû partager ma chambre.

Remerciements

Je tiens à remercier le *National Arts Council of South Africa* qui m'a offert une résidence d'écrivain à l'Université du Cap au second semestre de l'année 1998.

Remerciements particuliers à mon agent Tony Peak pour la franchise de son regard et son soutien indéfectible ; à Lyn Denny pour son aide à approcher quelques faits insaisissables ; à Alison Lowry et Clara Farmer pour leur apport éditorial ; et à Riyaz Ahmad Mir qui m'a tenu compagnie.